Rosa Riubo

FENG SHUI

EL LENGUAJE DEL HÁBITAT

El camino de la brújula interior

HISPANO EUROPEA

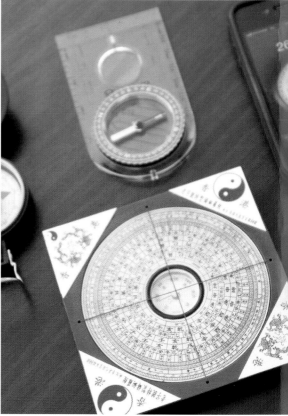

Presentación

El libro que tienes en tus manos es un resumen del viaje que empecé hace unos 5 años cuando ya estaba trabajando con el Feng Shui y creí que conocía bien este mundo, la experiencia que he vivido a través de mis consultas y de mis talleres me llevó a descubrir que mi viaje tan solo había empezado...

Feng Shui. El lenguaje del hábitat es un resumen de las diferentes lenguas con las que nuestro entorno puede hablarnos, encontrarás en este libro las distintas escuelas de Feng Shui que se han cruzado en mi vida y de las que he cogido lo que he considerado, bajo mi punto de vista, que era lo mejor de ellas, pero no solo eso, también mi experiencia en crecimiento personal, en Reiki y las terapias de respiración han contribuido a saber elegir lo que me quedaba de cada una de ellas.

Las diferentes lenguas a que se refiere el libro son las distintas escuelas de Feng Shui, que lejos de ser contrarias o conflictivas pueden ser complementarias en su sabiduría.

En el Feng Shui, como en todo en la vida, solo hay una elección que tomar, una decisión, una pregunta y en realidad una de esas dos escuelas: la del AMOR o la del temor. La escuela del amor nos lleva a experimentar paz, tranquilidad de espíritu, paciencia, armonía... y la escuela del temor, miedo, angustia, desequilibrio e impaciencia... En este libro he unido las diferentes técnicas desde la primera opción, no es la escuela sino el modo de «leerla», no es la técnica sino el modo de aplicarla lo que hace que el resultado refleje armonía y felicidad en un entorno determinado.

A lo largo de mi experiencia con el Feng Shui siempre he elegido desde el amor y cuando me he encontrado con el temor en sus manifestaciones como miedo, culpa, desprestigio, celos... a modo de experiencias con otras personas, de reacciones adversas o de impedimentos (que no eran más que un reflejo de mis temores internos) me he apartado de ese sendero y otro camino ha aparecido en mi vida y me ha llevado a la manifestación de algo mucho mejor.

Ana Claudia es una manifestación de esa elección desde el interior de mí; con su paciencia, conocimiento y buen hacer, ha trabajado conmigo codo con codo para crear lo que hoy es este libro, aportando lo que sabía y creciendo a mi lado. Quiero manifestar mi profundo agradecimiento a sus aportaciones y también a Jordi, ya que sin ellos no habría sido posible ni el libro ni la **Asociación de Profesionales del Feng Shui de Habla Hispana** que creamos, y con ella la formación profesional de consultores. También agradezco a Esther Ferrer, de mi equipo profesional, su ayuda, apoyo y colaboración también en este libro con un caso real, a mis clientes que han contribuido en la elaboración de este libro aportando sus viviendas y negocios para que pudiera mostrarlos en él y a todas las personas que de forma anónima han ayudado y han hecho posible que todo esto haya podido manifestarse, unos en la forma de amigos íntimos como mi amiga Carmen, o mi *coach* profesional Raimon Samsó, que siempre vio en mí más que yo misma y me inspiró la superación, otros como colaboradores y compañeros como Juanjo y Esther y muchos en la forma de contribuyentes «anónimos» que se han cruzado en mi camino inspirándome, algunos desde el apoyo y otros con valiosos impedimentos y dificultades que me llevaron crecer y cambiar el rumbo de mi vida hacia un lugar mejor al recibir sus valiosos mensajes. A todos ellos infinitas gracias.

Hoy puedo decir que el Feng Shui es una técnica maravillosa que cambia vidas, que no hay una escuela mejor que otra y que siempre funciona, (aunque te pueda parecer que está complicando las cosas) siempre produce los resultados adecuados para tu vida para mostrarte lo que necesitas cambiar dentro de ti, y siempre atraes hacia ti la persona, el libro, el consultor, el curso o el amigo perfecto que te dicen lo que necesitas cambiar en tu casa. El Feng Shui te ayuda a leer el reflejo de tu mundo interior en tu exterior.

Me considero muy afortunada de ser hoy el instrumento que llegue a ti para mostrártelo a través de este libro.

Rosa Riubo

Gracias a todos mis maestros, de los que sigo aprendiendo cada día.

Dedico este libro a todas las personas que confían en este arte milenario. Para ti con amor.

Rosa es una profesional que hace reales sus ideas y proyectos. Manifiesta sus buenas ideas en magníficas realidades, como el libro que sostienes en tus manos.
Aplica lo que Rosa sabe y tu vida mejorará en un 100%, ¡o tal vez más!

Raimon Samsó
www.elcodigodeldinero.com

FENG SHUI Y
LAS DIFERENTES ESCUELAS

Más allá de la escuela de la forma

El Feng Shui es una ciencia milenaria que está despertando interés en occidente desde hace ya algunos años; sin embargo, si lo comparamos con el tiempo que lleva practicándose en China, podríamos decir que estamos en el jardín de infancia en lo que al aprendizaje del Feng Shui se refiere.

Es posible que hayas experimentado y obtenido resultados de una técnica que bajo el nombre de la *escuela de la forma* despertó al mundo occidental, sin embargo la escuela de la forma ha tenido algunas confusiones en su denominación, puesto que es la base de todas las escuelas de Feng Shui que existen: «la forma» como tal, solo es lo referente al paisaje y las formas del mismo y de los edificios que habitamos. Bajo este nombre se le han atribuido también la distribución de áreas dentro del hogar y otras aplicaciones como nombre genérico que, si vamos a profundizar un poco más en este libro, las llamaremos realmente por su nombre a cada una de ellas.

Al añadir en nuestra cultura más moderna aplicaciones de crecimiento personal, de trabajo interior, de zonas o áreas de la vida, estamos realmente hablando de la escuela budista o intuitiva del maestro Lin Yun. Aquí empezamos a desatar la polémica con las escuelas clásicas de Feng Shui y es donde el alumno o principiante empieza a crearse un bloqueo, pues recibe mensajes contradictorios o lo que es peor: mensajes que desacreditan una u otra técnica. Por esa razón ha nacido este libro. Quiero transmitiros mi experiencia con cada una de las escuelas que, viendo su base y mensaje, puedo deciros que todas y cada una de ellas encierra una gran sabiduría, ¿por qué no unirlas entonces en lugar de dividir y desacreditar conocimientos? O ¿es que en la salud si aplicamos acupuntura no podemos realizar terapia?

El Feng Shui nos ayuda a comunicarnos con nuestro hábitat y eso es posible hacerlo en diferentes lenguajes, la lengua que puedes utilizar para comunicarte con tu entorno será tu elección y no podemos decir que una sea mejor que otra. O ¿puedes decir acaso que es mejor hablar en castellano que en francés?, o ¿quizá el inglés sería mejor que el italiano? No. Todos y cada uno de los idiomas sirven para un mismo fin: **comunicarnos**, y si cumplen esa finalidad y nos entendemos, entonces todos son válidos. Sin embargo, hay lenguas más fáciles y otras más complejas, la lengua con la que nacemos, no importa lo compleja que sea, siempre la dominaremos mejor, pero si necesitamos aprenderla en la edad adulta entonces podemos tener dificultades con alguna según su complejidad. Con el Feng Shui y sus escuelas o enseñanzas sucede lo mismo, las diferentes escuelas son técnicas distintas para comunicarnos con nuestro entono para que nuestro hogar nos muestre qué quiere decirnos y a la vez nosotros le transmitamos lo que queremos decir.

En este libro quiero mostrarte el lenguaje de las formas, el de la intuición, la lengua de la astrología, de los puntos cardinales y la escrita en las estrellas. Para poder entender las distintas señales de tu hogar es necesario conocer en qué lengua te está hablando. Igual que en nuestro mundo todos los idiomas sirven para comunicarnos, también el Feng Shui que se aplica en diferentes puntos del planeta sirve para comunicarnos con nuestro hogar y lo hace en doble dirección, es decir, *en conversación*, ya que nos muestra lo que necesitamos cambiar y cuando lo cambiamos obtenemos unos resultados visibles. Todas y cada una de las lenguas (idiomas = escuelas de Feng Shui) que utiliza el Feng Shui para comunicarse con nosotros son válidas y nos enriquecen. También es cierto que cuantas más técnicas conoces, más te enriqueces y puedes llegar a un número mayor de conocimiento y de personas. Además, cada lenguaje esconde su propio secreto.

Abre tu mente y tu corazón a todo lo que te rodea, descubre cómo te habla el entorno en los distintos lenguajes de las escuelas de Feng Shui. Cada una de las técnicas que veremos a lo largo de este libro ha producido resultados muy beneficiosos en la vida de personas al armonizar su hábitat, a lo largo de la experiencia de nuestra vida siempre atraemos las vivencias, personas y hábitats que necesitamos según nuestro estado mental, energético y vital. No podemos descuidar esta parte, ya que es la más importante. Si nos hacemos responsables de todo lo que nos sucede, podremos utilizar las herramientas que nos ofrece el Feng Shui en todas y cada unas de las escuelas, pero si buscamos soluciones mágicas para no cambiar, para manipular y crear beneficios solamente propios sin importar lo que afecte a nuestro alrededor, entonces quizá sufriremos las consecuencias de nuestros actos, no las consecuencias de un «mal Feng Shui», **la intención con la que haces cualquier acto en tu vida es lo que produce un resultado u otro.**

Creo importante decir estas palabras antes de empezar a ver las diferentes técnicas, que además en cada una de ellas veremos no solo su parte externa, sino también su mensaje oculto e interior, siempre bajo mi interpretación y visión, pero que puedes hacerla tuya y compartirla si lo deseas.

Me he adentrado en el mundo más mágico del Feng Shui también para conocer la verdad sobre todo lo que se está escribiendo y diciendo, con la ayuda de Ana Claudia Camponovo, experta en el Feng Shui de la brújula, de la escuela racional de Feng Shui que aprendió en el continente americano, he podido experimentar que el Feng Shui técnico y matemático también contiene una gran sabiduría y que la raíz del conocimiento no está encerrada en ninguna de las escuelas en exclusiva. Pero tampoco podemos olvidar u omitir ninguna de ellas si queremos conocer los secretos de esta ciencia milenaria.

Las diferentes escuelas que veremos nos ayudarán, cada una de ellas, a descubrir partes de nosotros, de nuestra relación con el mundo, con los demás, con el planeta, a conocer cómo los astros influyen y por qué unas épocas estamos mejor en el mismo lugar con las mismas personas y otras veces no es así, cómo cambiando y modificando la energía del interior de nuestro hogar nos adaptaremos mejor a estos cambios.

La escuela de la forma o del paisaje nos enseñará cómo elegir el mejor lugar por entorno exterior para vivir, cómo compensar o proteger nuestro hábitat y nuestra vida de las influencias de un entorno hostil si ya estamos viviendo en él, identificarlo primero y protegernos después. Conocer lo que te afecta es fundamental para poder resolverlo. Es una escuela muy importante y se presenta como base de todas las demás escuelas, puesto que si el entorno exterior ya es hostil y no lo recuperamos, todas las demás técnicas serán más difíciles de aplicar o pueden no tener los resultados deseados. Conocer pues la forma y el paisaje, no solo en la naturaleza o en los hogares que están en el campo sino también en las ciudades, saber identificar las formas y cómo nos afectan es primordial. En el siguiente capítulo profundizamos en esta escuela y conoceremos sus remedios y soluciones.

La escuela budista o intuitiva nos ayudará a conocer cómo identificar nuestro hogar con nuestro «camino de vida» y a elegir o cambiar lo que necesitamos para conseguir las experiencias que deseamos. Saber reconocer en nuestro hogar el equivalente a la evolución del camino de vida que estamos experimentando es también muy importante, por esa razón de esta escuela tengo todo un libro, *Feng Shui evolutivo*, que está dedicado exclusivamente a ella. En el libro que ahora tienes en tus manos también profundizo en ella para descubrir cómo nuestra intuición y la comunicación con el ser interior y nuestro hogar nos muestra hacia dónde podemos avanzar ayudándonos en las áreas determinadas de la vida identificándolas dentro de nuestros hogares.

La escuela clásica o de la brújula Bazhai nos mostrará nuestras mejores direcciones, personalizaremos el Feng Shui para cada una de las personas que viven en la casa o que trabajan en un negocio. Podremos encontrar el mejor lugar para cada uno de nosotros, nos dará respuestas al por qué un mismo hogar puede afectar a una persona y a otra no, de un modo positivo o negativo, por supuesto irá unido a su camino de vida. Pero con la escuela Bazhai podemos ver con claridad la mejor ubicación para cada persona. Este conocimiento nos ayudará a descansar mejor, a que nuestros estudios o los de nuestros hijos den mejores frutos.

Si aprendemos en nuestra mejor dirección podemos aprovechar más las horas que dedicamos a ello. En los lugares de trabajo, estar en nuestra mejor dirección de poder puede significar el éxito o el fracaso en conseguir un objetivo, ganar una negociación, que nos contraten o conseguir el ascenso deseado...

Una herramienta básica, potente y común en todas las escuelas, son los cinco elementos de la naturaleza y sus círculos, por esa razón además de dedicarle todo un capítulo del libro los iremos aplicando y recordando en diferentes ocasiones a lo largo de este. Aunque en todas es importante, hay algunas escuelas en las que tienen mayor hincapié, como son la escuela Bazi o cuatro pilares y la escuela de las estrellas voladoras.

Con la escuela Bazi descubriremos, con la astrología china, el equilibrio de los elementos en nosotros. Estamos de nuevo personalizando el Feng Shui y nos ayuda a ver nuestras carencias personales y cómo compensarlas aplicando la energía de los elementos. Para hacerlo, tener el conocimiento de cuáles son estos elementos en nosotros es primordial para compensarlos, por lo tanto saber si somos más agua, tierra, metal, madera o fuego en nuestra carta natal nos ayudará a poder equilibrar fuera de nosotros el círculo de elementos de la naturaleza. Los cuatro pilares nos indican cómo están estos elementos en nuestro nacimiento y cómo a lo largo de la vida nosotros los vamos desarrollando.

Ayudarnos mediante el entorno, sobre todo el más íntimo o próximo como puede ser nuestra habitación de descanso, hará que se complete en nosotros la carencia personal y nos ayudará a desarrollar más fácilmente aquellas cualidades que nos faltan para sentirnos completos, seguros y equilibrados.

También el lenguaje de las estrellas nos ayudará a conocer que el elemento temporal es importante. La escuela de las estrellas voladoras, como se la conoce en el lenguaje popular, esconde una gran sabiduría, que lejos de tener que provocar miedos y angustia, nos debe proporcionar las respuestas que nos faltan cuando parece que algo no funciona y no sabemos encontrar el porqué. La energía que se encierra en un edificio cuando se construye influye en las personas que habitarán en él, conocer cómo es esa energía y hacer que fluya correctamente es lo que nos aporta el conocimiento de los cálculos de las estrellas.

A lo largo de este libro quiero que vayas descubriendo los secretos de cada una de las técnicas y viendo cómo a través de ellas consigues conocer mejor tu hogar y a ti mismo.

Veremos cómo podemos aplicar el Feng Shui en pisos o en casas de diferentes plantas. Una vez conocemos las diferentes técnicas sabremos que una u otra es mejor para armonizar un determinado espacio y dependiendo de las personas que habitan allí.

También estudiaremos los espacios abiertos o jardines y aprenderemos a armonizar el exterior, puesto que la energía del entorno próximo es la que entra al hogar cuando le abrimos la puerta.

Porque no es lo mismo un hogar que un negocio, tratamos de forma diferente un espacio de trabajo y, en estos casos, haremos hincapié en la importancia de las direcciones y los lugares de poder para que nuestro trabajo rinda más y mejor.

He querido incluir al final del libro unos ejercicios de meditación y visualización para integrar en ti todo lo aprendido, sobre todo para poder conectar con tu ser interior y saber elegir correctamente la técnica a aplicar si tienes algún momento de duda, y así poder tomar la decisión correcta en cualquier cambio en tu hogar o negocio.

Deseo que disfrutes de cada uno de los capítulos, que te adentres en el conocimiento de las diferentes escuelas y que sirva para profundizar en ti mismo y en tu vida. Este es un libro para unir, difundir, acompañar y completar el conocimiento del Feng Shui, así lo transmito y así deseo que lo recibas.

Bienvenido a este fascinante mundo, el conocimiento te espera.

La escuela del paisaje

En los orígenes del Feng Shui, hace más de cuatro mil años, lo primero que empezó a representar un análisis del entorno fue el paisaje. La escuela de la forma o del paisaje es la más antigua que existe y la base para todas las demás escuelas de Feng Shui. Si tenemos un entorno hostil y desfavorable cualquier cosa que hagamos en el interior puede no prosperar o no funcionar, pues la fuerza de la ubicación y la energía del paisaje es muy poderosa.

En principio para comprenderlo hablaremos del entorno natural, pues aunque actualmente nos preocupan mucho las ciudades, es necesario conocer cómo funciona la naturaleza y comparar las atribuciones de esta con el entorno urbano.

Hay algunos aspectos a tener en cuenta en un terreno para saber si tiene buen Feng Shui a la hora de construir una casa como, por ejemplo, evitar estar encima de una pendiente empinada o un acantilado, ya que estaría sobreexpuesto y sin protección.

Algunas de las condiciones ideales serían; que la construcción esté en un terreno llano o con poca pendiente y evitar los terrenos muy empinados; deberíamos tener protección a ambos lados de la casa, ya sea mediante arboles o laderas que nos den resguardo y la sensación de apoyo; edificar la vivienda en el centro del terreno dejando la puerta principal en la parte más baja y hacia el frente más despejado, teniendo detrás de la casa una montaña a modo de protección, esa montaña no debe estar muy pegada a la casa sino dejar un espacio como una calle por lo menos alrededor de la casa; para completar podemos tener un riachuelo delante de la vivienda... Bien, sabemos que es complicado conseguir el entorno ideal Feng Shui.

Entonces ¿Cómo podemos identificar un entorno favorable en un pueblo con más viviendas?
La montaña protectora puede ser un edificio o una casa más alta o en un desnivel más alto, las dos montañas laterales pueden ser casas, las casas vecinas de los lados aunque estén separadas. Es importante que la parte delantera de la casa esté despejada y tengamos buena visión. El riachuelo puede ser simbolizado por una calle o un paseo.

La casa que esté más alta, encima de la ladera, estará sin protección aunque tenga mejores vistas...

¿Y en una ciudad, con muchos bloques de pisos?
Pues intentaremos tener un bloque de pisos más alto detrás de nuestro edificio y dos bloques más bajos a ambos lados y que frente al edificio donde vivimos haya espacio y tenga buena visión. En este caso, es el bloque donde vivimos el que marca las formas, todo el bloque entero se ve influido aunque no nos afectará igual si nuestro piso es en los bajos o si estamos en el ático o en la mitad del edificio.

El entresuelo o los pisos más bajos «soportan» de algún modo el peso de todo edificio, y las partes más altas (pisos altos y áticos) están más desprotegidas, por lo que los pisos con mejor Feng Shui serían los intermedios.

Estas formas exteriores protectoras que identificamos tanto en el entorno natural como en pueblos y ciudades son denominadas en Feng Shui *los cuatro animales de protección*.

Son la tortuga negra, simbolizada por la montaña alta trasera, el ave fénix rojo, que es la parte delantera que precisa de visión y a am-

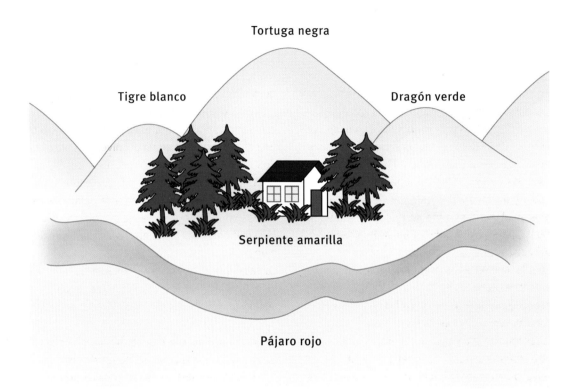

Tortuga negra

Tigre blanco

Dragón verde

Serpiente amarilla

Pájaro rojo

bos lados el tigre blanco, en la parte derecha de la casa y el dragón verde a la izquierda.

Cuando oigamos hablar de estos animales simbólicos ya les podemos atribuir una situación en nuestro entorno exterior y una función.

También tienen asignado un elemento de la naturaleza y un punto cardinal. La tortuga negra simboliza el elemento agua y la dirección norte. El pájaro rojo, elemento fuego y la dirección sur. El tigre blanco, el Oeste y elemento metal. El dragón verde, el Este y elemento madera. La serpiente amarilla, el centro con elemento tierra.

Aunque pueda parecer que no es necesario recordar los animales, elementos y direcciones, más adelante veremos como sí tienen importancia, pues de esta base surgen muchas otras aplicaciones en el Feng Shui. Recordemos pues

la simbología de los cinco animales y ubicarlos en una situación cada uno en referencia a los demás.

Las direcciones relativas de estos cuatro animales nos servirán siempre cuando colocamos nuestro escritorio, en los fuegos de la cocina, al colocar la cama... Puesto que la protección a la espalda y la visión de frente tendrán prioridad frente a las direcciones cardinales.

Otros aspectos importantes a observar en el entorno exterior son las formas angulosas, punzantes o puntiagudas que puedan resultar amenazantes para nuestro espacio habitable. En la naturaleza pueden ser observadas como rocas puntiagudas, ramas grandes que se introduzcan en la casa o una ladera desierta llena de rocas o piezas sueltas, posibles laderas de montaña con riesgo de desprendimiento o barrancos pronunciados.

En la ciudad las formas amenazantes pueden ser edificios de formas puntiagudas apuntando directamente a nuestro edificio, tejados con formas de flecha, bordes afilados en los edificios y también formas irregulares. Evitar tener cerca las vías del ferrocarril o un aeropuerto.

También hay elementos temporales que pueden afectarnos como las grúas de un edificio en construcción que durante un tiempo está apuntando hacia nuestro hogar, en estos casos utilizaremos los espejos de Feng Shui para exteriores.

Otros lugares a evitar según el Feng Shui son: vivir cerca de centrales eléctricas, cerca de cementerios, hospitales y lugares relacionados con la enfermedad o la muerte, también vertederos, depuradoras o centros de reciclado.

Los lugares buenos para tener cerca de nuestra vivienda serían: escuelas, las guarderías, lugares de ocio y diversión o un parque natural. Los parques y jardines aportan energía buena y positiva a nuestro hogar. Edificios redondeados cercanos, agua tranquila y suave en movimientos ondulados no muy rápidos.

La forma de las calles y el lugar donde está ubicada nuestra casa también es un dato importante a señalar, sobre todo cuando vamos a cambiarnos de vivienda, observa estas señales. Si ya tienes tu hogar y detectas alguna de estas afectaciones veremos cómo ponerle un remedio o solución.

En una calle en forma de T, evitar tener nuestra casa justo al final de la calle recogiendo toda la energía directa de la calle de frente. En una rotonda por ejemplo donde estén ubicadas diferentes casas, hay algunos lugares donde debemos evitar tener nuestro hogar. En el caso de la casa frontal a la calle, por la misma razón y en el caso de las casas que están al lado de la calle al entrar en la rotonda, porque la energía recta

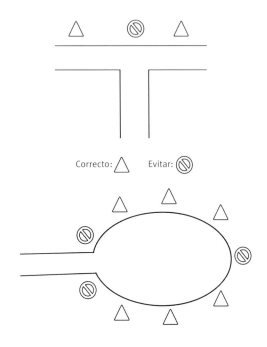

Correcto: △   Evitar: ⊘

se junta con la de la redonda y crea una fusión de energías que no tienen muy buen Feng Shui. Sin embargo las casas situadas alrededor de la rotonda marcadas con los triángulos están bien ubicadas pues la energía se recoge suave y equilibrada.

Los espejos exteriores convexos o cóncavos también nos servirán para desviar o alejar la energía en caso de que ya tengamos nuestra casa en una de estas malas situaciones.

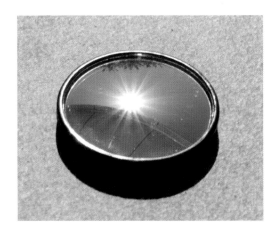

Si se tratara de una rotonda que diera a diferentes calles, entonces se genera energía beneficiosa en cualquiera de las casas del lugar ya que ninguna de ellas tiene confluencia de energías diferentes ni recibe el «azote» de la energía en exclusiva.

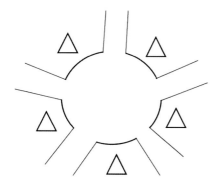

Observa tu entorno exterior e identifica las posibles afectaciones negativas, aleja o separa de ti aquello que puede perjudicarte.

Una piscina, por ejemplo, en la parte trasera de la casa es una gran masa de agua que puede afectar al bienestar en el hogar, pero si la separamos de la casa mediante un seto alto, un árbol o un muro de piedra ya no afecta a los ocupantes de la casa y podemos disfrutar de ella tranquilamente. El agua siempre es mejor tenerla delante de la casa pero si está en la parte trasera o a un lado y la separamos adecuadamente no tiene por qué ser un problema. Y es necesario cuidar que el tamaño del espacio de agua no sea mayor al de la casa, así como su dirección cardinal como veremos en el capitulo de jardines.

Hemos visto cómo las formas y el paisaje influyen en nosotros a través del entorno exterior, ahora veremos cómo lo hacen también en las formas de nuestras viviendas o negocios.

La forma del inmueble, que podemos ver con el plano a escala, también nos dice mucho acerca

de si el lugar donde vivimos o trabajamos influye en nuestro bienestar.

En general diremos que un plano con formas estables y regulares como rectangular o cuadrado tiene buen Feng Shui y si es irregular con salientes o zonas perdidas o ausentes no lo es tanto.

Dentro de esta generalidad también tenemos excepciones ya que los salientes si son pequeños se consideran como refuerzos positivos, aunque si están «colgados» sin enganche sólido atrapan mala energía hacia el hogar, un refuerzo o saliente será bueno siempre que sea estable y no forme salientes que estén «colgados» fuera de la vivienda, veamos un par de ejemplos gráficos para ver la diferencia.

> Refuerzo de forma irregular con mal Feng Shui.

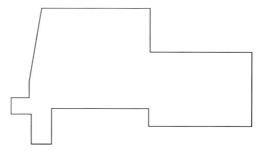

> Refuerzo de forma regular con buen Feng Shui.

Las formas triangulares que forman esquinas cerradas dentro de la vivienda tampoco son favorables, ya que crean estrecheces donde se acumula y estanca la energía y dificultan el flujo de la misma.

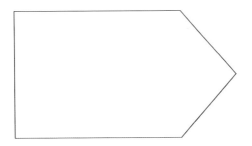

Si no tenemos una vivienda regular podemos completarla mediante espejos ya que estos tienen la peculiaridad de duplicar las estancias. En el ejemplo anterior podríamos corregir las irregularidades colocando espejos en los lugares señalados que cumplirían la función de «regularizar» un poco la forma irregular.

Estos espejos podemos colocarlos de manera que estén vistos u ocultos detrás de cuadros o dentro de armarios ya que puede suceder que no sea conveniente colocarlos si reflejan alguna estancia como el baño o la cocina en el interior o si están enfrentados a puertas o ventanas, por ello la solución de ocultados resulta cómoda y eficaz, y cumplen su acción energética.

Se ha creado un poco de psicosis con los espejos en el Feng Shui por si traen malas influencias o se colocan de un modo inadecuado... Ante la

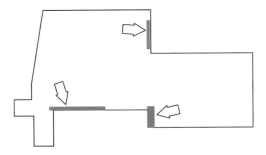

duda, oculta el espejo y así solo tendrás el beneficio de su colocación.

Ahora que ya conoces la escuela de la forma o el paisaje, te animo a que salgas a tu entorno exterior, que te pasees por tu pueblo o ciudad y también cuando vayas al campo o la montaña observes cómo las formas tanto naturales como las arquitectónicas hacen su aporte de energía a los lugares de forma positiva o negativa.

Piensa cómo se encontrarán las personas que trabajan dentro de un gran edificio de cristal de formas angulosas o las que viven cerca del reflejo o la influencia de ese mismo edificio, y ahora que ya lo sabes, seguro que cuando tengas que elegir un nuevo lugar para vivir lo primero que observarás es tu entorno exterior y elegirás con toda seguridad una vivienda cerca de un parque o escuela antes que de una fábrica o autopista..., ¿verdad?

Ese es el primer lenguaje que has aprendido: el de la naturaleza y las formas del entorno, escucha, observa y lee, y cuando ya estés en el interior del inmueble, escoge también una vivienda o negocio completos y con formas regulares.

Si ya elegiste y piensas que no puedes hacer nada... completa con espejos y desvía u oculta las afectaciones exteriores.

El lugar exterior y las formas de tu vivienda te hablan, escúchalas e identifica las señales con aspectos de tu vida que quizá no van del todo bien. Quizá vives en un lugar donde hay muchos edificios amenazantes cerca de tus ventanas y continuamente tienes invasión de tu espacio íntimo por parte de las personas que frecuentas. Protege y desvía las afectaciones y observa si tu vida cambia en ese aspecto, escucha las señales de tu entorno y pregúntate qué puedes cambiar en ti y en tu forma de ser además del entorno para dejar de tener esas experiencias.

En los siguientes capítulos veremos cómo corregir, potenciar y completar en el interior con las demás escuelas de Feng Shui.

El interior de la tierra

Antes de empezar a armonizar con Feng Shui

Después de conocer qué es importante tener en cuenta en el exterior y en la forma de las viviendas que elegimos, vamos a pasar al interior de las mismas con las demás escuelas.

Sin embargo antes es necesario crear un espacio, un vacío, para poder crear algo nuevo.

Limpia, ordena y tira

La creación del espacio nuevo interno en nuestro hogar lo conseguimos de un modo muy sencillo, haciendo limpieza y quitando todo aquello que no utilizamos, lo que no es necesario para nuestra vida cotidiana. Es un principio muy importante ya que cualquier cambio que realicemos posterior, siguiendo las enseñanzas de las demás escuelas, puede no ser efectivo si nuestro hogar esta sumido en el caos. Por lo tanto la limpieza, el espacio (evitar la acumulación de objetos inútiles) y el orden, son necesarios para obtener los resultados que deseamos en el Feng Shui.

Para conseguir un equilibrio interior personal es necesario reflejar esa armonía en el espacio externo, después de haber conseguido ese espacio cualquier aplicación puntual tendrá unos resultados mucho más visibles a corto plazo, que es lo que todos deseamos.

El Feng Shui no tendría que ser una ciencia compleja y difícil puesto que lo que busca es la regularidad para conseguir la comodidad y la armonía en nuestros hogares.

La naturaleza por sí misma busca el equilibrio y lo hace de modo fácil, y si alguna vez se desequilibra, ella misma vuelve a regularizarse.

En el interior de nuestros hogares algunas veces reina el caos, quizá no te das cuenta hasta que al leer estas paginas abres un armario o entras en una habitación que normalmente no utilizas y ves que tienes acumulados objetos y papeles que hace años que no necesitas, o miras en tu ropero y encuentras ropa de tallas que ya nunca vas a ponerte de nuevo, aunque nos pese. Todos estos objetos y prendas estancan la energía de ese espacio físico de tu armario o de tus habitaciones e impiden que la energía o Chi circule correctamente por ellas.

Cuando vaciamos y ordenamos el espacio físico se produce una armonía en nuestro espacio interno y nos ayuda a conseguir tener una vida más completa.

Te animo a que en esta parte del libro y antes de continuar para conocer qué puedes cambiar dentro de tu hogar, hagas una pequeña pausa y vacíes y te deshagas de lo innecesario; después podremos seguir conociendo qué cambios pueden ayudarte.

Limpia, ordena y tira lo que no necesites en tu hogar o negocio, eso creará un cambio en el espacio que propiciará una nueva etapa.

Si deseas hacer una limpieza más profunda puedes utilizar alguna de esta técnicas:

Una limpieza con sal

La sal limpia la energía que no vemos pero que está, que percibimos e influye en nuestro estado de ánimo.

Después de una discusión o de una mala temporada, después de una limpieza profunda de objetos innecesarios que nos han llevado a «remover» muchas cosas en nuestro hogar, una limpieza con sal nos ayudará a elevar la vibración de la energía actual.

Podemos colocar cuatro cuencos de cristal o de barro en cada una de las esquinas de la casa y otro en el centro de la misma con sal gorda (de la que utilizamos para cocinar «a la sal») y los tenemos 48 horas, después podemos quitarlos, tirar la sal y ventilar la casa, cualquier energía estancada se habrá marchado con ella.

Pintar el inmueble

Cuando pintamos estamos renovando y limpiando las paredes de la casa, siempre es muy bueno pintar cuando nos instalamos en una vivienda nueva (aunque nos digan que acaban de pintarla) darle una mano de pintura limpiará la energía de lo que ocurrió en la casa antes de que tu llegaras a ella.

Sería bueno pintar nuestros hogares regularmente, por lo menos cada dos o tres años cuando ya estamos viviendo en ellos. Si se trata de hogares de fin de semana podemos esperar un poco más ya que no existe el mismo «desgaste» energético en ellos.

Encender inciensos

El fuego purifica, siempre teniendo el debido cuidado con las velas y los inciensos, estos aumentan la energía y limpian el espacio.

Elige olores que sean agradables, tanto para ti como para los demás miembros de tu familia.

¿Qué más necesitamos ver antes de empezar los cambios con el Feng Shui?

Analizar el interior del suelo donde te encuentras

Hay una parte muy importante en el Feng Shui que es la geobiología. No se trata de una escuela de Feng Shui como tal sino de una ciencia empírica, pero es necesaria en el momento de analizar un hogar, puesto que si existe algún tipo de afectación en el suelo donde se encuentra el hábitat que vamos a estudiar, repercutirá de modo importante en los habitantes de esa casa. Por ello he creído interesante incluir este tipo de afectaciones.

Así como en la escuela del paisaje miraremos con detenimiento el entorno exterior, al elegir un lugar para vivir, necesitaremos también ver su «interior», en la tierra, para conocer si viviremos encima de una afectación geopática y cómo evitar su influencia si ya estamos viviendo allí.

El magnetismo de la tierra es el resultado de una dinámica, ya que su núcleo interno no es sólido. Vamos a conocer qué tipo de síntomas pueden suponer que tienes una afectación en tu hogar:

> Si descansas mal o te despiertas sin energía aunque hayas dormido toda la noche.
> Si padeces de dolores de espalda y del cuerpo en general.
> Dolores de cabeza de forma continua y repetida, dolores reumáticos, cansancio crónico, irritabilidad, problemas circulatorios, nerviosismo...
> Si existe una geopatía (afectación) en tu hábitat es posible que cualquier tratamiento médico no funcione adecuadamente.

También en el Feng Shui, cuando se trata sobre todo de crear armonía porque existen problemas de salud, necesitamos resolver las afectaciones de suelo existentes antes de aplicar los cambios en la decoración para su correcto funcionamiento.

Es necesario que tu hogar sea analizado por un profesional que te indicará cuál es la mejor solución según tu caso y las alternativas que existen actualmente para resolverla.

En este apartado Jordi Gubau, vicepresidente de la Asociación de Profesionales del Feng Shui de

Habla Hispana, constructor con más de veinte años de experiencia en obras de reforma y nuevas construcciones, especializado en estas afectaciones así como en sus posibles soluciones, nos explica qué son y cómo tratarlas.

¿Qué es una geopatía?

La definición de geopatía sería la alteración de las fuentes de energías telúricas que emanan desde el centro de la tierra y que salen a la superficie terrestre por las denominadas líneas Hartmann y Curry. Si durante este trayecto estas energías se encuentran con unas determinadas alteraciones en la corteza terrestre, se producen unos cambios significativos en su composición.

Una de estas afectaciones que pueden alterar las energías son las fallas en el terreno, las cuevas de grandes dimensiones, los ríos subterráneos, las capas de rocas de alto contenido en hierro, así como los grandes acuíferos subterráneos de aguas freáticas estancadas.

La fuente de esta energía se encuentra en el núcleo de la tierra, a grandes profundidades y se debe a que el centro de la tierra, o núcleo, está siempre en constante proceso de fusión. Si no fuese así haría muchísimos años que el magma, con su lava incandescente, se habría enfriado y solidificado.

Existen muchos estudios realizados por científicos entendidos en la materia que han llegado a la conclusión de que estas alteraciones en la corteza terrestre, que nosotros en Feng Shui llamamos geopatías, son el origen de la alteración celular que se produce en el organismo de los seres vivos y que puede llegar a producir consecuencias como cansancio continuado, dolores de cabeza o jaquecas, dolores musculares, falta de atención, insomnio, ganas de orinar con frecuencia, depresión, taquicardias, entre otras.

También se han realizado estudios más profundos, que han llegado a la conclusión de que ciertos tipos de enfermedades pueden tener relación directa con afectaciones graves de alguna zona geopatógena muy intensa. Aunque no se ha querido reconocer por los estamentos oficiales de la medicina tradicional, se han realizado estudios que demuestran que también pueden causar otras enfermedades graves como son distintos tipos de cáncer.

El grado de afectación de una geopatía sobre el organismo humano depende de muchas variantes. A cada persona le puede afectar de distinta forma. Si la persona tiene bajas las defensas hay muchas probabilidades de que le afecten y le produzcan los males típicos de las geopatías.

Es muy importante la detección de afectaciones en los lugares de trabajo, donde pasamos muchas horas y aun más importante es en el lugar donde descansamos, dado que durante la noche y mientras dormimos nuestras defensas bajan muchísimo su intensidad y nuestro cuerpo se vuelve muy vulnerable a las irradiaciones de energías telúricas.

En las antiguas civilizaciones se empleaban diferentes técnicas para descubrir si los terrenos en los que se quería edificar eran propicios o si por el contrario eran desfavorables para la ubicación de una vivienda. Algunas de ellas hacían comprobar el terreno mediante la técnica del zahorí, que por mediación de un péndulo o por medio de varillas miraba si existía alguna alteración en el suelo.

Otras llevaban sus ganados a pastar en los terrenos a edificar y luego comprobaban que no tuvieran sus hígados dañados o afectados por alguna enfermedad o tumoración de origen cancerígeno. También se sabe de casos en los que los habitantes de esa zona llevaban al lugar a edificar nidos de hormigas para comprobar si se arraigaban en ese sitio, lo cual significaba que era una zona afectada por una geopatía, o por el contrario las hormigas desaparecían, lo cual significaba que el lugar estaba libre de alteraciones, ya que las hormigas, al igual que las abejas o los gatos, son propensos a colocarse sobre las geopatías. En el caso de las abejas, si se colocan los panales en zonas afectadas por una geopatía, tienden a elaborar una gran cantidad de miel, pero sin embargo el estrés que les produce este sobreesfuerzo puede acabar por acelerar su muerte.

La importancia de la detección precoz de una afectación dentro de una vivienda es primordial para el bienestar de las personas que habitan en ella. Una geopatía no se puede eliminar, pero sí que se pueden adoptar medidas para evitar que nos afecte.

Según dice el Dr. Hartmann, descubridor de las líneas terrestres que llevan su nombre, es improbable enfermar si no se duerme expuesto a radiaciones terrestres, excepto con las enfermedades causadas por bacterias o virus infecciosos.

Las líneas Hartmann transcurren alrededor del globo terrestre, de norte a sur, a una distancia aproximada de unos 2 metros, y de este a oeste distanciadas unos 2,5 metros, y de una anchura de 21 cm aproximadamente, formando una retícula por donde la tierra desprende su energía. También existe otra red de líneas que transcurren de Noreste a Suroeste y de Noroeste a Sureste, separadas entre sí unos 3,5 metros, y de unos 50 cm de anchura, que se denomina red Curry, descubierta por el Dr. Manfred Curry, y que se cree que es mucho más perjudicial para la salud incluso que la red Hartmann.

A pesar de las evidencias de estas redes, la ciencia oficial niega sistemáticamente la existencia de dichas redes magnéticas de origen telúrico.

Durante las horas de 2 a 5 de la madrugada, es cuando la fuerza de las energías telúricas se desprende desde el interior de la tierra y nos puede afectar con más virulencia.

Muchas personas con problemas de geopatías suelen despertarse en esa franja horaria, sin motivo aparente, y no logran conciliar de nuevo el sueño hasta pasadas esas horas. En ese momento es cuando más daño pueden hacernos esas alteraciones.

Otra de las circunstancias que hay que tener en cuenta en cuanto al riesgo de tener una afectación geopática es el hecho de que estemos descansando sobre el cruce de dos líneas Hartmann, y es mucho peor si el cruce es de líneas Curry, que como ya hemos explicado se consideran mucho más peligrosas.

Cuando nos encontramos con alguna de estas circunstancias dentro de una vivienda, ya sea un cruce de líneas o bien un problema de geopatía, diremos que nos encontramos con una *casa enferma*.

Si bien esto es un problema, dado que no todo el mundo puede cambiar de casa sin más, podemos buscar las soluciones más adecuadas en cada caso, siempre después de un estudio completo, realizado por un experto en la materia, que nos dirá las medidas mejores en nuestro caso en concreto.

Aunque tenemos muchos estudios de investigadores independientes que han dedicado gran parte de sus vidas al estudio de las geopatías, constantemente han chocado con la incomprensión de los estamentos oficiales de la medicina tradicional que se niegan a reconocer la realidad de estas evidencias, pero que no ha impedido seguir con sus estudios para intentar concienciar a la humanidad de los riegos de padecer una geopatía en nuestra vivienda y en concreto en nuestras zonas de trabajo o de descanso.

A pesar de todos los impedimentos, parece ser que poco a poco los profesionales, tanto de la medicina como de la construcción, tanto constructores como arquitectos, han ido tomando conciencia de los riesgos que tienen la geopatías para la salud y han empezado a aplicar soluciones para minimizar sus efectos.

Otros efectos también nocivos para la salud son los producidos por la electro-contaminación, la cual padecemos prácticamente en todas las viviendas que hay en las ciudades. Cuando realizamos una reforma en una vivienda antigua intentamos aplicar ciertas medidas de tipo preventivo para evitar, por ejemplo, el paso de las instalaciones eléctricas por detrás del cabezal de la cama, o el hecho de colocar los interruptores a una distancia prudencial de nuestras cabezas. Otro factor importante a tener en cuenta es el aislamiento de los desagües para que la pérdida de Chi que se produce con la descarga de agua no nos perjudique. También es importante la utilización de materiales ecológicos, sobre todo en el tema de pinturas, que nos puedan proteger de la electro-contaminación ambiental que producen las antenas de telefonía, los cables de alta tensión, los aparatos eléctricos, y un largo etcétera de influencias que son contaminantes. También se están utilizando, cada vez con más frecuencia, los parquets naturales como el de bambú, que por sus características tienen un alto grado de aislamiento natural.

Aunque una geopatía posee una fuerza natural que puede alcanzar una altura de varios kilómetros, y que según estudios realizados son capaces de traspasar una capa de agua de más de 36 metros, que viene a ser el equivalente a un bloque de plomo de unos 2 mtrs de alto, (no existen rayos X capaces de traspasarlo), no hay que asustarse ni desesperarse. Si tenemos una geopatía en el lugar donde dormimos, lo único que hay que hacer es desplazar la cama unos centímetros para evitar la radiación directa. Continuamente estamos circulando por la tierra y cruzándonos con estas alteraciones, pero no nos afectan en ninguno de los casos, solo si estamos ubicados sobre ellas de forma continuada pueden, con el tiempo y a base de expo-

nernos a ellas, llegar a causarnos algún daño. No a todas las personas les afecta del mismo modo. Hay personas a las que no les afecta dado que sus defensas son muy fuertes y no consiguen alterar su sistema inmunológico.

Actualmente existen en el mercado remedios comprobados para armonizar el interior del hábitat sin la necesidad de realizar costosas reformas. En la Asociación de Profesionales del Feng Shui de Habla Hispana solo ofrecemos los productos que merecen nuestra confianza y si tenemos garantía de su eficacia.

Jordi Gubau Lasheras

Es importante saber si en tu hogar hay alguna afectación y en su caso poner solución a la misma para garantizar el éxito en los cambios con el Feng Shui, sea a cual sea la escuela que elijas para realizarlos.

En el siguiente apartado conoceremos las herramientas con las que cuenta el Feng Shui para conseguir el equilibrio en nuestros hogares. Empezaremos con los cinco elementos.

HERRAMIENTAS Y DISTINTAS APLICACIONES

Los cinco elementos de la naturaleza

La energía de los elementos de la naturaleza es una de las herramientas básicas en el Feng Shui. En todas y cada una de las escuelas se utiliza para equilibrar, completar y armonizar los espacios, en este capítulo vamos a conocerlos y a utilizarlos como herramientas.

El equilibrio de los cinco elementos en un bosque se produce de modo fácil y natural, la propia madre naturaleza se equilibra cuando lo considera necesario. En nuestras ciudades sin embargo no es así, fruto del reflejo del desequilibrio que hay en nosotros mismos se reproducen en el paisaje de modo intencionado o inconsciente las carencias de los habitantes de la ciudad.

Cuando nacemos ya lo hacemos con este desequilibrio dentro de nosotros precisamente para aprender como lección de vida: desarrollar las carencias de nacimiento.

Sin embargo muchas veces nos apoyamos en los demás en lugar de desarrollar las cualidades que nos faltan y nuestro entorno próximo refleja la carencia en lugar de completarla. Por esa razón es importante jugar con los ciclos de elementos naturales para completar fuera aquello que es necesario desarrollar dentro.

Vamos a conocer cada uno de los elementos y cómo los identificamos en objetos, colores y formas, además de completarlos de forma armónica en nuestro espacio.

En un espacio natural, como un bosque, podemos ver los elementos y cómo se nutren y alimentan entre sí.

En la imagen (véase pág 26) podemos ver el elemento agua, identificado en el riachuelo, el elemento madera en los troncos de los arboles, el metal en las piedras o rocas, la tierra por ella misma y el elemento fuego en los animales vivos que hay, aunque no los veamos.

También por los colores podemos identificar los elementos, el rojizo o naranja sería fuego; los amarillos, tierra; los verdes, madera; los grises, metal; y los azulados, oscuros y el negro, el agua. Aunque la imagen parezca triste, con hojas caídas y secas, es hermosa por lo que representa, se está produciendo el ciclo de regeneración de la naturaleza. Aquí en la ciudad necesitamos recoger las hojas del suelo, limpiar las calles... En la naturaleza eso no es necesario pues las hojas secas alimentan la tierra, incluso los animales que mueren lo hacen, la naturaleza por sí misma se completa y crece.

Este ciclo natural es el que vamos a reproducir en nuestro hogar para crear la armonía y además completaremos o controlaremos los posibles excesos o carencias. Estos ciclos son muy importantes pues más adelante veremos cómo nos ayudan también a armonizar, neutralizar y corregir las afectaciones que hay en nuestro hogar, que podremos identificar mediante los análisis de las diferentes escuelas. Lo utilizamos en la escuela intuitiva o budista para armonizar nuestras áreas de la vida, en los cuatro pilares para completar las carencias de nacimiento, en las estrellas voladoras para corregir las afectaciones de las estrellas negativas y potenciar las positivas según su elemento.

Vemos pues que es importante conocer cuáles son estos cinco elementos de la naturaleza y cómo los podemos identificar dentro de nuestro hogar.

Elemento FUEGO

El fuego en la naturaleza transforma, calienta, ilumina..., lo encontramos en la luz, el calor, los colores vivos como el rojo o el naranja, los animales vivos.

El fuego tiene el poder de transformar la madera en cenizas, la destruye y también puede controlar el metal al calentarlo, doblándolo a su antojo, con el agua entra en conflicto porque lo apaga, pero si tiene suficiente fuerza y poder puede convertirla en vapor. Vemos entonces en el fuego un elemento de gran fuerza.

Estas propiedades que el elemento tiene de forma natural las vamos a trasladar a nuestros hogares.

Si salimos del entorno natural y vamos al entorno urbano, identificamos el fuego en la iluminación de la calle, en todos los tonos de colores de la gama del rojo, granates, naranjas e incluso rosados. Las personas y animales son también elemento fuego en una ciudad, todas las formas triangulares de estructuras, de edificios, las calles más iluminadas y de más actividad con colores calientes como los descritos y muy transitadas, allí predomina el elemento fuego.

Por lo tanto son calles adecuadas para comercios, bares y restaurantes, negocios que necesiten de la afluencia de personas y de mucha energía.

Dentro del hogar sucede lo mismo, identificamos este elemento en los colores vivos ya nombrados, los aparatos eléctricos como la TV o el equipo de música, luces, velas, fotografías y cuadros de personas o animales, los animales domésticos. Las formas triangulares son adecuadas para las habitaciones de más actividad, como es el comedor o el salón, la cocina y habitaciones de actividad diurna. En los baños, dormitorios y habitaciones más relajadas incluiremos algunos pequeños detalles para no activar demasiado la energía en ellos. Sin embargo hay algunos casos en los que es necesario contar con su fuerza de destrucción y control y también aprender a dominarlo cuando entre en conflicto con su propia energía.

Elemento METAL

Frío, fuerte y brillante, el metal nos da fuerza y rigor. El metal representa la fuerza de la mente, aunque frío y distante tiene un gran poder.

Lo vemos representado en la naturaleza en las piedras y rocas, tiene gran poder energético y lo encontramos también en las gemas, las piedras de sal y los minerales.

Cuando buscamos en las ciudades lo vemos representado en las estructuras metálicas, los colores gris, plata, blanco y las formas ovaladas y circulares. Del mismo modo podemos identificarlo dentro del hogar en los objetos de metal, minerales y los colores y formas antes nombrados.

El metal es necesario y nos ayuda a completar los círculos, crea agua en su interior por lo que en el ciclo potenciador nos ayuda cuando no podemos poner este elemento y lo necesitamos potenciar. También nos ayuda a controlar el elemento madera cuando lo tenemos en demasía en alguna estancia o lugar y no es adecuado. Pero si el propio elemento metal está en exceso es necesario menguarlo o controlarlo también para que no resulte perjudicial.

En un baño, por ejemplo, el exceso de metal crearía demasiada agua (en su ciclo potenciador) y haría que esa estancia ya de por sí baja de energía lo estuviera todavía más. Así pues, un baño decorado con los colores blanco y gris y con muchos accesorios metálicos debería combinarse con los elementos en la decoración que redujeran y controlaran dicho elemento.

Para controlar el metal incluiremos elemento fuego en pequeños detalles en rojo o naranja y también madera y tierra para compensar el exceso de agua creado por el metal. Cuando completamos el círculo, la estancia queda armonizada. El metal nos ayuda en nuestro crecimiento financiero y a potenciar la abundancia, por lo que algunas piedras, gemas o minerales en la mesa de un despacho son positivos para potenciar la prosperidad.

Elemento AGUA

Sentimiento y sensibilidad, el agua es un elemento importante en el Feng Shui, las propias palabras *Feng Shui* significan «viento y agua». La energía de este elemento es poderosa y por esa razón debemos equilibrarla de forma adecuada.

El agua como elemento natural crea armonía en los riachuelos, en las fuentes, en los lagos... Crea vida al borde de los ríos y nos da energía en el mar. Sin embargo el agua puede convertirse en un desastre natural cuando está sin control y en grandes cantidades, una inundación o la fuerza de un tsunami pueden destruir pueblos y ciudades. En el Feng Shui, su efecto es el mismo, en cantidades adecuadas potencia y armoniza, cuando la tenemos en exceso puede perjudicar o destruir.

Si vivimos en un pueblo o ciudad o un barrio con agua cerca de nosotros seguramente será una zona llena de vida, una plaza con una fuente central o un parque con un lago son una adecuada situación para tener cerca nuestro hogar. Sin embargo un acantilado colgado recibiendo toda la energía del mar abierto puede ser un lugar de mucho viento y receptor de demasiada energía que necesitaremos controlar, aunque la vivienda tenga preciosas vistas.

En los hogares podemos identificar el exceso de agua por ejemplo en los baños, como he mencionado antes, pero también en la decoración de nuestra habitación de descanso es necesario controlar este elemento.

El agua la simbolizamos con los colores azules y los muy oscuros y el negro, los objetos del propio elemento como fuentes o acuarios y las formas onduladas y serpenteantes, también en los cuadros y fotografías de agua como los ríos o el mar.

En nuestra habitación de descanso evitaremos tener estos elementos, podemos tener unas sábanas en azul pero evitar tener las paredes en ese color o imágenes de agua en la habitación. El agua mueve mucha energía también de sentimientos y un exceso de la misma en nuestra alcoba puede traernos problemas emocionales. Para controlar su exceso podemos hacerlo con elemento tierra y también madera, que la absorberán como hemos visto en el baño, evitar el metal que la alimenta. Muy beneficiosa en el recibidor: una pequeña fuente en la entrada a tu hogar te ayudará a crear armonía, favorece más a la derecha de tu puerta principal.

Elemento MADERA

El elemento madera es el que más abunda en el espacio natural, podemos encontrarlo en los árboles, las plantas, las flores e incluso en las hojas caídas en el suelo en otoño, pero el sinfín de colores que crea la naturaleza incluye los otros elementos. Los tonos rojizos para fuego y los amarillos y marrones para tierra, los grises para el metal y los negros y oscuros para el agua. Un bosque frondoso tiene el colorido de los cinco elementos.

En la ciudad encontramos que la madera a veces es escasa, los barrios y ciudades donde te-

nemos cerca un parque o que sus calles tienen largos paseos con árboles son las más beneficiosas.

Encontramos madera también en las formas rectangulares, los colores verdes en todos sus tonos y las construcciones con este material.

Dentro del hogar podemos encontrarla en el mobiliario de madera y también en las plantas y flores tanto naturales como artificiales y en imágenes de cuadros o fotografías de naturaleza.

La madera es alimentada por el agua que da vida a plantas, arboles y flores en el ciclo de producción. Elementos de agua junto a la madera la alimentarán y potenciarán. Sin embargo el fuego y el metal la destruyen y cortan, por lo que evitaremos tenerlos en grandes cantidades junto a ella.

Este elemento tiene vida y creatividad dentro de sí mismo, la madera, los árboles, nos dan el oxigeno que necesitamos para respirar, para vivir; en la ciudad, si escasea la madera tenemos la sensación de ahogo, estrés y angustia, por lo tanto dentro de nuestro hogar es muy beneficioso incluir este elemento que nos aporta vida y creatividad.

Elemento TIERRA

El quinto elemento que nos falta es nuestra estabilidad, es el nombre de nuestro planeta, nuestra base sólida. Podemos encontrar el elemento tierra allí donde miremos o vayamos en el entorno natural pues está a nuestros pies y es donde nos apoyamos.

En la ciudad hemos convertido mucho espacio de nuestra tierra en el frío metal con el asfalto

y tenemos que buscarla en sus colores y tonalidades de marrones, ocres, beis o amarillos y en sus formas cuadradas y estables. Hay espacios donde la conservamos en su estado natural como puede ser la tierra de los árboles de las calles o en algún pequeño jardín urbano, aunque cuanto más grande es la ciudad más nos cuesta encontrarla tanto esta como el elemento madera.

En el hogar nos ayudará incluirla en la pintura de la vivienda aunque sea con un suave tono beis en toda ella, evitando el frío blanco metal, para aportar esa seguridad, orden y estabilidad que son las cualidades que la tierra aporta a nuestro desarrollo.

La tierra es creada a partir de las cenizas del fuego y ella en su interior crea el metal en el ciclo de producción.

Mucho metal puede pues agotarla y la madera que se alimenta a través de sus raíces nos ayuda a controlar su exceso.

Los ciclos de este capítulo son importantes de entender y aprender, pues son la base de los remedios y soluciones que necesitaremos para conseguir el equilibrio en nuestros hogares.

Todas las escuelas de Feng Shui los utilizan para potenciar y menguar o controlar los elementos que a veces pueden producir efectos no deseados en nuestros hogares.

La escuela budista o intuitiva utiliza los cinco elementos para armonizar nuestras áreas de la vida, tanto en sus ciclos de creación como en el de control.

Las estrellas voladoras con los ciclos de creación y desgaste utilizan los cinco elementos para armonizar y potenciar cuando es necesario, y también para agotar la fuerza de las configuraciones negativas de estrellas.

La intuición y las áreas personales

He de confesar que tengo especial predilección por la escuela del maestro Lin Yun, que es la escuela budista, quizá por ser con la que empecé a trabajar, pero sobre todo porque vincula claramente nuestro hogar con nuestro crecimiento personal. Despierta la percepción y la observación en nosotros desde el alma, desde nuestro interior.

Tengo todo un libro, *Feng Shui evolutivo*, que habla sobre ella, su propio nombre indica que esta escuela nos enseña cómo evolucionar con la guía de nuestro hogar. Vamos a hacer un resumen sobre ella, sobre todo haciendo hincapié en esta fase de crecimiento y evolución. También tengo que decir que esta escuela ha sido especialmente criticada por los maestros de otras técnicas por apartarse de la técnica pura, matemática y estricta del Feng Shui clásico, es la escuela más «intuitiva» como su nombre indica, en contacto con nuestra fuerza interior y por esa misma razón su prueba digamos «científica» no está clara. Pero ¿cuántas veces sabemos que una técnica funciona en otros ámbitos y no ha sido probada científicamente? Solo los resultados de la misma son su prueba real.

En occidente se ha difundido mucho esta escuela a raíz del libro de Terah Kathryn Collins, *Feng Shui para occidente*, que llegó a muchas personas que experimentaron los beneficios del Feng Shui en su vida.

Esta escuela contiene también la base de la escuela de las formas o el paisaje que vimos en el capitulo anterior y la importancia del orden y del vacío, tiene que ver con la influencia psicológica que los objetos y colores tienen en nuestro inconsciente y el modo como nuestro hogar refleja el estado de nuestro mundo interior.

También utilizamos los ciclos de los cinco elementos para equilibrar nuestro hogar y lugares de trabajo, pero quizá la herramienta más importante y que refleja nuestras áreas de la vida en el hogar es el mapa Bagua.

El mapa Bagua o Pakua, tiene sus orígenes en el *I Ching*, un libro muy antiguo de adivinación chino, y divide nuestro hogar en nueve zonas o áreas que identificamos con partes de nuestra vida y que nos muestra si tenemos algún problema en cada una de ellas y, lo más importante, cómo resolverlo.

Este es el dibujo del mapa Bagua utilizado en la escuela budista o intuitiva:

RIQUEZA Y PROSPERIDAD Morados, rojos y dorados	FAMA Y REPUTACION FUEGO Rojos	RELACIONES Rojos, rosas y blancos
SALUD Y FAMILIA MADERA Verdes	CENTRO TIERRA amarillo y colores terrosos	CREATIVIDAD METAL blanco y grises
SABER Y CULTURA Negro, azules y verdes	CARRERA PROFESIONAL AGUA negro, azul oscuro	AYUDAS Y VIAJES Negro, blanco y grises

Este mismo mapa se utiliza también en la escuela de la brújula más occidental, difundida por Lillian Too, pero en su forma más original: octogonal.

También divide la vivienda en las 9 áreas pero cambia en el modo de colocarlo aunque no para su interpretación o la explicación de cada zona o área de la vida.

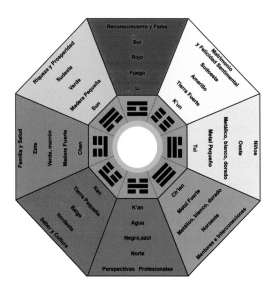

En mi experiencia en consultas con las personas, he visto claramente cómo en nuestras viviendas actuales la colocación puede cambiar dependiendo de cada caso y muchas veces nuestra lógica «intuitiva» coincide también con la escuela de la brújula. Creo que no debemos cerrarnos a ningún conocimiento pero si alguna vez nos parece ver soluciones contradictorias escuchar a nuestro interior nos ayudará a ver la mejor solución.

A lo largo de este libro irás encontrando cambios, técnicas y soluciones Feng Shui que a lo mejor te pueden parecer contrarias. Cuando yo detecto que eso puede ocurrir lo voy aclarando a cada capitulo, pero si algo puedo haberme dejado y parece que esa parte no «encaja» con lo que piensas o crees, te pediré que descartes o apartes ese trozo o capitulo pero que no por esa razón dejes de practicar lo que sí es valido para ti. El Feng Shui cambia vidas, creas o no en él, lo importante es experimentarlo.

Vamos a ver cómo interpretamos un plano desde la escuela de Lin Yun.

Hemos elegido un plano un poco complejo para poder explicar diferentes cosas que pueden suceder cuando vas a localizar las áreas en tu hogar. Si tu vivienda es cuadrada o rectangular es relativamente sencillo dividirla en los cuadrados del Bagua, pero cuando tiene formas irregulares como el plano de la imagen puede resultar un poco más difícil.

En primer lugar trazaremos un cuadrado o rectángulo abarcando la parte más grande de la vivienda y dejando fuera de este cuadrado las partes del inmueble que sean trozos que sobresalgan.

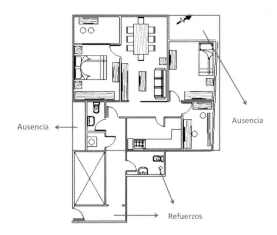

Si tenemos partes de la vivienda que nos faltan dentro del cuadrado las llamaremos *ausencias* y si hay otras que se encuentran fuera de ese cuadrado serán *refuerzos*.

A continuación vamos a colocar las áreas del mapa Bagua encima de la vivienda. Dividiremos el cuadrado o rectángulo que hemos dibujado en las 9 zonas del mapa, dividiendo en tres trozos verticales y tres horizontales de igual medida, así ya tenemos los 9 cuadrados del Bagua, solo falta saber cómo colocar las zonas dibujadas. Se colocará el mapa siguiendo la dirección de la entrada de energía, normalmente es la misma dirección de la puerta de entrada, pero cuando sucede que la entrada esta bloqueada como en este caso, la energía fluye hacia el interior en una dirección diferente, aquí es donde utilizamos nuestra intuición y vemos con claridad que la energía en este hogar entra de este modo:

Por lo tanto escribimos las áreas en cada uno de los cuadrados en la dirección de entrada de la energía al hogar.

Con las flechas verdes está dibujada la afluencia de la energía, vemos que la entrada de la vivienda se encuentra con un pasillo largo y estrecho que gira y se sitúa con otra dirección al acceder al interior del piso, por esa razón buscamos el fluir del Chi (energía vital) y situamos el mapa en la dirección de entrada a la estancia, aunque no sea la puerta física de entrada a la vivienda.

Cuando localizamos las áreas, podemos hacer una interpretación de la vivienda que nos muestra lo que puede estar sucediendo en ella.

«Una entrada bloqueada» que impide la afluencia del Chi puede indicar problemas en la integración, en el fluir natural de las cosas, impedimentos en poner en marcha algún proyecto

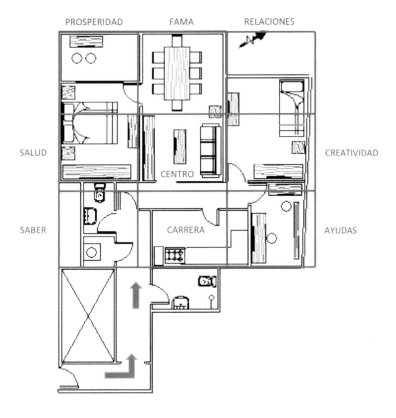

e incluso dificultad para relacionarse ya que no facilita el flujo natural del Chi al interior.

Por otro lado vemos que existe un refuerzo importante en la zona de carrera profesional (aunque sea un baño) y saber y cultura (el pasillo) que nos indica que esta vivienda es especialmente importante para nuestro trabajo, en especial para encontrar y desarrollar un trabajo basado en nuestra vocación.

Las ausencias marcadas en oposición del mapa en las áreas de saber y relaciones muestran problemas de integración y también pueden señalar problemas de aprendizaje en el campo de las relaciones personales, en especial nuestra relación de pareja.

Será necesario compensar y cubrir estas ausencias y afectaciones para que en nuestra vida se manifiesten cambios positivos en estos aspectos. Veamos las soluciones:

Colocamos diferentes espejos con funciones distintas; los espejos de la entrada y pasillo fuera del Bagua son para acompañar y facilitar la entrada de energía al hogar. Crean un flujo serpenteante del Chi. Estos espejos deben colocarse vistos (sin cubrirse o taparse). Los espejos colocados en las paredes que dan a las ausencias son para compensar las mismas y crear el espacio perdido, en estos casos los espejos pueden ser vistos u ocultos detrás de cuadros o cortinas, su efecto de compensación es el mismo.

Las esferas de cristal en las zonas opuestas en diagonal de relaciones y saber completan y potencian ambas áreas reforzando la energía en las mismas y completando a la vez que los espejos las zonas ausentes. Además colocamos otra esfera de cristal en el pasillo para facilitar que la energía se dirija al interior de la vivienda.

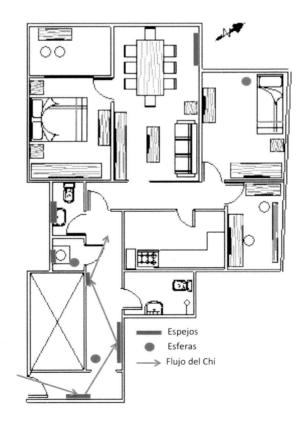

Espejos
Esferas
Flujo del Chi

Estos son los remedios básicos para completar carencias en este caso, además se potenciará cada área con elementos, colores y formas propias de cada una y que os resumo a continuación.

En este momento ya podemos empezar a ser creativos e incluir soluciones mediante el arte y nuestra imaginación para potenciar las áreas.

Elementos genéricos para potenciar cada área

Cuando tenemos localizadas las áreas en nuestro hogar podemos potenciarlas o compensar posibles problemas en esas partes de nuestra vida con objetos, colores y formas. Recordemos todas las áreas:

> Riqueza y prosperidad
> Fama y reputación
> Relaciones
> Salud y familia
> Creatividad
> Saber y cultura
> Carrera profesional
> Ayudas

Riqueza y prosperidad

Esta escuela nos recomienda potenciarla con colores vivos como el rojo, los morados y todos los tonos dorados.

El elemento del área es la madera, por esa razón algunas escuelas quieren huir del rojo fuego para potenciarla, en mi experiencia, el calor, las luces y los colores granates y rojos funcionan muy bien.

Por supuesto las plantas nos ayudarán a potenciar prosperidad, las imágenes de arboles y flores y también cualquier escultura dorada, cuadros con monedas y el arte simbolizando prosperidad.

Las piedras o gemas y la clásica esfera de cristal tallado de Feng Shui también la potencian. Si tenemos un baño, una ausencia o alguna afectación será más necesario cuidar esta zona de nuestra casa.

Fama y reputación

Utilizaremos el elemento fuego, colores rojos, formas piramidales y también la madera que alimentará el elemento.

Es un buen lugar para colocar nuestros diplomas y títulos de reconocimiento, premios y trofeos.

Cuidar esta zona en especial cuando tenemos algún concurso, prueba o examen y por supuesto si somos personajes públicos.

Relaciones

Abarca todo lo que se refiere a nuestras amistades, nuestra pareja y cuando nos enamoramos, si deseamos mejorar este aspecto en nuestra vida, lo haremos con colores suaves rosados , el blanco con algunos detalles en rojo, pares de objetos, fotografías con la pareja o amistades, nunca imágenes donde estemos solos o con objetos impares, (evitar el tres en especial en imágenes como tres personas, tres flores, etc.) siempre en par, dos tazas, dos jarrones iguales, dos flores... nos ayudarán a potenciar la pareja tanto si la tenemos como si la queremos tener. Su elemento es la tierra, los colores terrosos y marrones suaves también son adecuados.

Salud y familia

Se refiere además de nuestra salud física a la familia de sangre, antepasados, los padres, abuelos... Es un buen lugar para tener las fotos de familia, para plantas naturales, fotografías de arboles y flores. Es adecuado el color verde en todas sus tonalidades y también el elemento madera.

El centro también se asocia a la salud pues se corresponde a nuestro centro vital.

Cuanto más despejado tengamos el cento, mucho mejor. Si tenemos un baño en centro o en salud puede hacer que estemos más cansados y nos cueste recuperarnos. Lo potenciaremos con los elementos de madera y tierra en ambos casos.

Creatividad

Una parte importante en nuestra vida se nutre del elemento metal, de los colores grises y el blanco.

Como se corresponde a la creación abarca también la sexualidad, los hijos pequeños y podemos potenciarla con muñecos de peluche, fotos de bebes y colores pastel si nos resulta adecuado el lugar de la casa donde tenemos el área. Otro modo de potenciarla es con un acuario o una fuente de agua.

El elemento agua podemos colocarlo como hemos visto en creatividad, también es adecuado colocar una fuente en movimiento en riqueza y en las zonas que veremos a continuación, pero miraremos de evitarla sobre todo en fama y en relaciones pues en lugar de potenciar el área la estaría perjudicando.

Saber y cultura

Colocaremos libros, cuadernos y estudios; los colores verdes, azules y el negro. Imágenes de montañas, elemento tierra en tonalidades suaves armonizan esta área.

Carrera profesional

El agua es el elemento de esta zona por excelencia. Podemos potenciarla con imágenes de ella o como elemento mismo en acuarios o fuentes. Como color utilizaremos los colores oscuros como el azul marino y el negro.

Ayudas

Finalmente tenemos esta área llamada también de «amigos útiles» que se refiere a la ayuda que podemos recibir del universo, del cielo, de la energía, la llamada *suerte* y todo aquello en lo que nos parece que no podemos influir.

Aquí es donde pondremos nuestros deseos o peticiones, los proyectos y los objetivos que deseamos conseguir.

La potenciaremos con piedras de sal, elemento metal, y las imágenes o figuras que reflejen nuestra fe y nuestras creencias. También imágenes de viajes que hayan sido importantes o imágenes de lugares a los que nos gustaría ir. Los viajes son una ayuda para nuestro desarrollo interior y hacen que la conciencia se expanda; cuando viajamos vemos otros lugares, otras costumbres y rompemos con ideas preconcebidas de cómo debemos vivir, nuestro conocimiento de la vida se abre y nos ayuda a crecer.

La escuela budista está muy vinculada a nuestro crecimiento personal y también a la intuición. Cuanto más conectados estamos con nuestra paz interna y el ser, más fácil nos resulta leer y compensar nuestro espacio y a la vez cuanto más equilibramos nuestro espacio exterior más paz y armonía sentimos dentro de nosotros y más sencillo es resolver los problemas que se presentan a diario como pruebas de vida.

Puedes profundizar más en esta escuela en mi libro *Feng Shui evolutivo*. Ahora iremos viendo las demás técnicas y cómo se complementan al unir sus conocimientos.

Cómo utilizar la brújula y las direcciones personales

En este capitulo vamos a empezar a utilizar la brújula como instrumento importante en la aplicación del Feng Shui. Primero veremos cómo utilizamos la misma herramienta del Bagua o Pakua pero con las direcciones de la brújula. Este sistema de colocación del Bagua es el más difundido por Lillian Too.

¿Cómo utilizamos correctamente una brújula?

Es importante conocer el funcionamiento de una brújula y es mejor tener una con las características de la que os muestro a continuación donde podamos leer los grados, no solo una brújula que nos señale el norte magnético sin más localización.

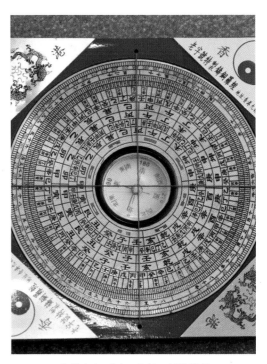

Brújula tradicional china LUO PAN

Esta brújula se puede encontrar con facilidad en tiendas de deportes y en grandes almacenes.
No es necesario utilizar una brújula tradicional china puesto que su uso es complejo y necesita de un experto para utilizarla correctamente.
Colocamos la brújula en el suelo en dos o tres lugares diferentes de la casa para evitar cualquier interferencia y ver si nos señala el norte en el mismo lugar, entonces marcaremos la señalización del norte magnético en el plano.
Colocaremos la brújula en lo que determinamos el frente de nuestro hogar y leeremos los grados que figuran en relación del frente del edificio al norte magnético.

Llamamos frente de un edificio al lugar donde esta más despejado o abierto, que no se encuentra tapado y desde el que tenemos más visión; puede coincidir con la entrada a la vivienda o no.

En el DVD, Ana Claudia y yo os mostramos cómo tomar los grados y determinar el frente de un modo más práctico para que lo podáis realizar sin complicaciones y de un modo correcto.

En este capitulo solo necesitamos saber dónde tenemos el norte magnético para poder colocar el Bagua correctamente. Podemos hacerlo en su forma octogonal o con la forma cuadrada.

Cada área del Bagua tiene asignada una dirección de la brújula:

> Carrera profesional se corresponde al Norte.
> Fama y reputación tiene asignada la dirección del sur.
> El Este es el área de salud y familia.
> En el Oeste creatividad e hijos.
> Noreste para saber y cultura.
> Noroeste para amigos útiles, ayudas.
> Sureste para la riqueza y prosperidad.
> Suroeste para el amor y las relaciones personales.

En esta escuela el modo como dibujamos el Bagua en el plano de la vivienda viene determinado por las direcciones de la brújula.

Este modo de colocar el Bagua nos será útil en espacio abiertos, casas de cuatro vientos, y grandes terrenos, por esa razón aunque en mi experiencia en nuestras viviendas se aplica el Bagua correspondiente a la puerta de entrada, como hemos visto en el capitulo anterior, no descartamos esta forma de colocarlo en referencia al norte magnético para algunos espacios en particular.

¿Por qué no usar siempre esta colocación?

En la antigua china, la fachada principal de la vivienda se ubicaba en el sur y en las casas se entraba normalmente por el norte por lo que la puerta de entrada (el lugar de mayor afluencia de energía) se correspondía normalmente con el norte magnético.

En nuestras viviendas modernas y sobre todo en los pisos, podemos entrar por todas y cada una de las direcciones sin significar que la energía sea mayor en esa dirección, por ello la aplicación del Bagua de «la puerta de entrada» ha tenido mayor éxito y difusión en occidente, no quiero decir que una sea mejor que la otra, simplemente que así es como se viene utilizando.

En el caso del plano del capitulo anterior veamos cómo colocaríamos el Bagua utilizando el sistema de la brújula (plano 1).

Este dibujo sería utilizando la forma octogonal que podemos transformar para ver de manera más sencilla en el Bagua cuadrado que ya conocemos pero ahora colocado con el sistema de la brújula, vemos que las áreas cambian de lugar (plano 2).

La interpretación en este caso, del plano 6, sobre la vivienda sería la siguiente:

Ausencias en carrera profesional y en fama que pueden suponer problemas con la vocación y el trabajo: nos indican que esta vivienda nos dice que es necesario el desarrollo de nuestra vocación y nos pone dificultades, podemos tener problemas con la opinión de los demás, envidias y que se hablen cosas de nosotros que no sean ciertas y eso dificulte el desarrollo de nuestra vocación, será necesario un trabajo interior importante al que ayudaremos con nuestra casa cubriendo las ausencias en estas áreas con espejos (como ya se ha explicado) y potenciando con los colores y formas que se corresponden al área.

Es importante identificar el problema si coincide con lo que nos sucede. En este caso las relacio-

Plano 1

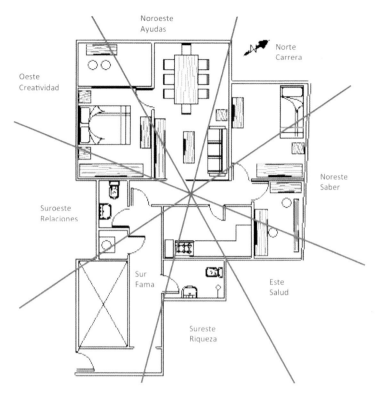

Noroeste
Ayudas

Norte
Carrera

Oeste
Creatividad

Noreste
Saber

Suroeste
Relaciones

Sur
Fama

Este
Salud

Sureste
Riqueza

Plano 2

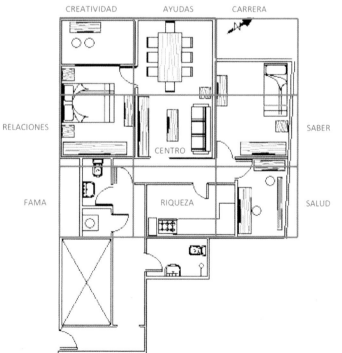

CREATIVIDAD   AYUDAS   CARRERA

RELACIONES

CENTRO

SABER

FAMA   RIQUEZA   SALUD

nes de amistad y de pareja funcionan con naturalidad, aprendemos de ellas y son un apoyo en nuestra vida.

Ahora es cuando vas a preguntarte...

¿Y cuál de las dos formas es la correcta?

La respuesta es más sencilla de lo que crees: **la forma que se corresponda a lo que te sucede.**

Cuando la interpretación cuadra con una forma de colocación, esa es la correcta, te animo a probar ambas aunque ya he comentado que en occidente acostumbra a coincidir más con la puerta de entrada de la energía.

Siempre escucha, observa y prueba ambas formas y seguro que te identificarás con una de ellas.

En el caso de la vivienda expuesta la hemos escogido precisamente porque las interpretaciones son completamente contrarias, pues eso puede suceder en casos reales, esta es una de las cosas que pueden hacerte dudar del Feng Shui, sin embargo es precisamente esta diversidad y ambigüedad lo que lo hace realmente fantástico; siempre existe una solución para ti.

Primero identifica qué lenguaje habla tu hogar contigo (el lenguaje budista o el de la brújula), después la solución a tus afectaciones está escrita en cada vivienda. Si tu caso es muy complejo y apremiante es necesario que recurras a un profesional.

Ahora vamos a ampliar un poco más nuestra mira y personalizaremos el Feng Shui.

Utilizaremos las direcciones cardinales para cada una de las personas de la casa. Aquí estamos hablando de Bazhai, de las direcciones personales y de nuestro numero Kua.

La escuela Bazhai junto a la Bazi y las estrellas voladoras pertenecen al grupo de escuelas del «Feng Shui Clásico».

Aquí veremos como las direcciones son importantes pues en cualquier caso, sin tener en cuenta la interpretación por Bagua. De hecho a partir de ahora ya no hablaremos de Bagua sino de orientaciones, astrología y cálculos matemáticos.

Para personalizar el Feng Shui cada uno de nosotros tenemos un numero **kua** que puede compartir o no con los demás habitantes de la casa, algunas veces coinciden los números o algunas direcciones favorables pero en otros casos no es así.

La escuela Bazhai estudia la compatibilidad de cada una de las personas con la casa donde vive. Para ello necesita obtener el numero Kua de cada una de ellas.

El número Kua

Según la escuela de la brújula todos nosotros tenemos un número que se corresponde al año que nacemos (Kua). Este número diferencia a las personas en dos grandes grupos, las del este y las del oeste y cada una de ellas según su numero Kua tiene unas direcciones más favorables.

Este número se calcula con nuestro año de nacimiento, y cambia el modo de calcularlo si somos hombre o mujer, y nos regiremos con el calendario chino que no empieza en enero como el nuestro sino en febrero, por lo tanto una persona nacida en enero o febrero (dependiendo del día que cambie el calendario chino) tendrá como referencia el año anterior.

En internet encontrarás numerosas páginas gratuitas donde puedes calcular tu número Kua pero si quieres calcularlo tú mismo puedes obtenerlo realizando la siguiente operación:

1 Sumando los dígitos de tu año de nacimiento.

2 Reduciéndolo a una sola cifra.

3 Dependiendo si eres hombre o mujer le sumarás o restarás una cifra: para los hombres le restaremos 11 y para las mujeres le sumaremos 4.

4 Si el resultado al reducirlo después de la suma o la resta fuera 5, lo cambiaremos, en el caso de los hombres por el 2 y para las mujeres por el 8, ya que el Kua no refleja el número 5.

Por ejemplo una mujer nacida en agosto de 1965, tiene un número KUA 7.

Y la operación ha sido la siguiente:
$1 + 9 + 6 + 5 = 21 = 2 + 1 = 3 + 4 = 7$

Y estas son las mejores direcciones que se corresponden según tu numero Kua, cada una de ellas por el orden que están escritas son las direcciones favorables para:

Éxito – Salud – Suerte – Conocimiento

> Kua 1 – Sureste – Este – Sur – Norte.
> Kua 2 – Noreste – Oeste – Noroeste – Suroeste.
> Kua 3 – Sur – Norte – Sureste – Este.
> Kua 4 – Norte – Sur – Este – Sureste.
> Kua 6 – Oeste – Noreste – Suroeste – Noroeste.
> Kua 7 – Noroeste – Suroeste – Noreste – Oeste.
> Kua 8 – Suroeste – Noroeste – Oeste – Noreste.
> Kua 9 – Este – Sureste – Norte – Sur.

Conocer nuestras mejores direcciones puede ayudarnos si tenemos problemas de descanso ubicando el cabecero de la cama en nuestra mejor dirección de salud o en su defecto cualquiera de las direcciones favorables según nuestro numero Kua, de este modo estamos personalizando el Feng Shui a cada uno de nosotros en particular.

Para dormir mejor, el hecho de que el cabecero de tu cama esté enfocado a tu mejor dirección de salud te ayudará a conciliar el sueño, aunque puedes encontrarte con que tu dirección y la de tu pareja son diferentes (u opuestas); en tal caso, sobre todo si la persona mal ubicada descansa mal será necesario encontrar una dirección neutra para ambos.

También en un negocio la aplicación de esta escuela nos ayudará a conocer qué ubicación es más idónea para nuestra mesa de trabajo.

Si nos colocamos mirando hacia nuestra dirección de éxito o suerte las negociaciones pueden resultar más favorables.

Para el estudio de un muchacho que puede tener dificultades en la escuela, ubicar la mesa de su escritorio hacia su dirección favorable para el conocimiento le ayudará en su aprendizaje. Conocerlo puede ser muy revelador.

El Feng Shui nos ayudará a equilibrar las energías y a potenciar la suerte y la buena fortuna.

Es beneficioso que la puerta de entrada de tu casa o negocio esté situada en una de tus direcciones favorables (cualquiera de ellas, aunque es especialmente beneficioso en las direcciones de éxito y suerte en los negocios y salud y conocimiento para las viviendas).

En el DVD te mostramos cómo puedes encontrar tu mejor dirección para descansar o en el caso de una mesa de estudio, tu dirección para aprender mejor. Hay varios aspectos a tener en cuenta además de aplicar estas direcciones; por ejemplo en el caso de un despacho en el que al aplicar la escuela Bazhai de las direcciones da como resultado que la mesa de trabajo se ubicaría de espaldas a la puerta de entrada al mismo, por ser esa nuestra mejor dirección, en tal caso no la cambiaríamos, sería contra producente.

Se buscaría una ubicación neutra que permitiera la visión de la puerta de acceso al despacho.

Por lo tanto, vemos que la escuela de la forma o del paisaje siempre primará delante de las de-

más, ya comentamos que era la base del Feng Shui y de todas las demás escuelas.

Pero es muy bueno conocer nuestras mejores direcciones ya que cualquier información adicional que tengamos para nuestro bienestar es positiva y si la funcionalidad de nuestros espacios nos lo permite, aplicarlas, pues cuanto más conocimiento tengamos, mucho mejor.

En el siguiente capitulo conoceremos una nueva herramienta: el llamado *cuadrado mágico* **Lo Shu** y aprenderemos un poco más a cerca de este maravilloso arte.

El *cuadrado mágico* Lo Shu

Vamos a conocer esta herramienta del Feng Shui adentrándonos en una de sus leyendas.

Circulaba el año 2200 a. C. Cuando el emperador Fu Shi estaba inaugurando un proyecto para controlar las crecidas del rio Amarillo. Este rio, también conocido como el río Lo, cada año destrozaba la agricultura y pueblos con sus desbordamientos, sin embargo en aquella ocasión el río Lo trajo la fortuna y el conocimiento al pueblo chino cuando de sus aguas emergió una tortuga gigante. Este símbolo en China es muy auspicioso pues la tortuga en la cultura china representa la longevidad, la protección y la sabiduría (ya vimos en la escuela de la forma que la tortuga es como simbolizábamos la protección trasera de la casa).

También se añadió a la leyenda que la tortuga tenía cabeza de dragón, este dato más «má-gico» hizo que fuera aún más representativa pues el dragón era un símbolo imperial por lo que esta aparición de la tortuga se interpretó como una señal del cielo. Lo más fantástico de este encuentro es que al observar la tortuga con detenimiento vieron que tenía grabados en su caparazón una serie de puntos numéricos coloreados que formaban un cuadrado. Estos puntos formaban nueve números cada uno de los cuales se inscribía en el interior de un pequeño cuadrado que a la vez estaba integrado dentro del cuadrado del caparazón y lo más curioso de todo ello es que los números sumaban siempre quince tanto si se leían en sentido vertical, horizontal o en diagonal.

Estos números fueron estudiados por los sabios de aquel entonces y se creó el llamado *cuadrado*

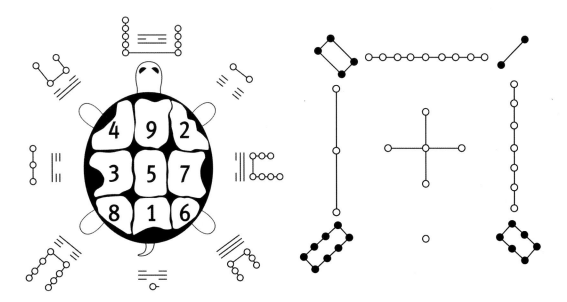

mágico Lo Shu, que se convirtió en la base de la numerología china, la astrología, el *I Ching* y el Feng Shui clásico.

El *cuadrado mágico* Lo Shu es la herramienta principal en la escuela de las estrellas voladoras, dio lugar al sistema chino de medir el tiempo, estableciéndose como el *cuadrado mágico* en nueve periodos distintos que duran veinte años, por lo que un ciclo completo del tiempo comprende ciento ochenta años, cada uno de los cuales tiene asignado un numero del *cuadrado mágico*.

En la escuela de las estrellas volantes los nueve cuadrados se conocen como los nueve palacios o las nueve casas. En el capitulo siguiente veremos una introducción a esta escuela de Feng Shui más compleja.

> **El *cuadrado mágico* representa la influencia del tiempo en nuestras vidas.**

Después de conocer un poco de dónde ha surgido esta herramienta vamos a ver cómo la aplicamos de modo práctico.

La escuela de la brújula que utiliza también el Bagua o Pakua la incorpora e incluye en él de modo que los números nos ayudan a potenciar también las áreas con objetos iguales de la cantidad numérica asignada, así pues, para potenciar fama, por ejemplo, podemos hacerlo con nueve velas rojas iguales; para relaciones, con dos objetos como jarrones, flores, figuras iguales; para salud, con tres objetos verdes... y así con cada una de ellas.

Potenciar las áreas del Bagua de forma numérica es un modo más de aumentar la energía en las áreas, a veces no es tanto potenciar con el numero adecuado sino que es importante no hacerlo con el inadecuado; me explicaré...

Si por ejemplo en el área de relaciones en lugar de pares de objetos (número 2 que es el número del Lo Shu que le pertenece) lo hacemos con tres objetos iguales puede hacer que aparezcan terceras personas en una relación, o si todo son objetos de unidad, podemos estar bastante solos.

El número 1 potencia nuestra carrera profesional, podemos poner el número 1 como simbolismo en esta área, el dos ya hemos visto que nos ayuda en las relaciones. El número 3 en salud con tres plantas iguales o tres objetos de color verde o de madera potenciarán nuestra salud y las relaciones con la familia de sangre. Para la riqueza 4 monedas guardadas en un pañuelo rojo debajo de algún lugar en el área aumentaran nuestra prosperidad, fíjate en tu hogar si tienes objetos iguales que están potenciando de forma numérica algún rincón de tu casa y si no los tienes puedes ponerlos ahora...

En el dibujo de la siguiente página vemos cómo están incluidos los elementos, los números, las direcciones, los colores, y el área de Bagua que se corresponde en cada trigrama del Bagua octogonal utilizado en la escuela de la brújula. Algunos elementos y colores discrepan de la escuela budista e intuitiva, por ejemplo en la zona de riqueza; aquí esta el color verde y elemento madera en lugar de rojos, morados y dorados. En cualquier caso como siempre que entramos en diferencias, primero observa qué lenguaje habla tu hogar y después aplica la escuela que sientas que habla y se corresponde mejor contigo.

No se trata de una lucha dentro de cada una de las escuelas para ver cuál es la auténtica, sino que son herramientas cuya finalidad es que te encuentres mejor en tu hogar.

Escucha tu casa y a ti mismo y elige y combina el conocimiento que aquí te brindamos.

Este cuadrado es muy importante en China ya que incluso el modo de medir el tiempo se estableció como en el *cuadrado mágico*, en nueve periodos que duran veinte años.

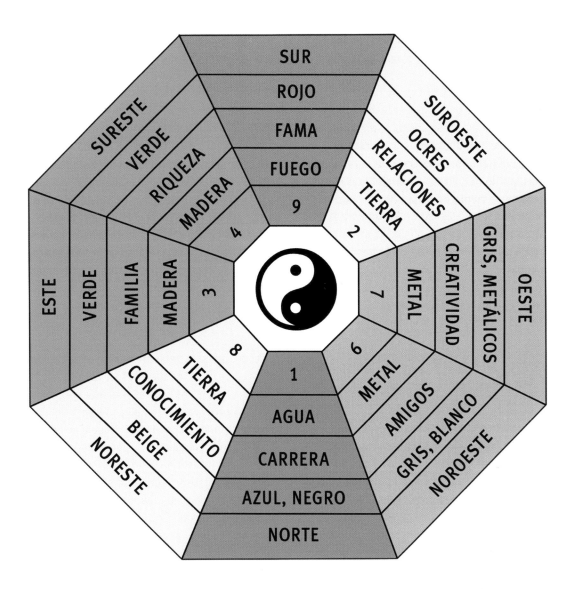

Un ciclo completo dura 180 años, y cada periodo tiene asignado un número del *cuadrado mágico*. En China consideran que trae buena suerte incluir el numero del periodo en el que estamos en la vida diaria, por ejemplo el año 2012 tiene asignado el número 8 del Lo Shu. Incluir este numero en la matricula de nuestro coche, el numero de la calle donde vivimos, la planta 8.ª favorecerá nuestra suerte y la prosperidad; será hasta el 2024 donde entrará el periodo del número 9.

Veamos qué simbología tienen estos números según la cultura china:

> El **número 1** es el de los dioses y emperadores, un número poderoso, religioso y de respeto.

> El **numero 2** es la pareja, un numero de felicidad que potencia y promueve el amor y simboliza el equilibrio entre el Yin y el Yang.

> El **número 3** favorece la estabilidad. Se utiliza en Feng Shui para atraer la suerte y la riqueza. Seguro que habéis vista tres monedas chinas atadas con un lazo rojo.

> El **número 4,** sin embargo, no lo consideran un número favorable en la cultura china, evitan la alineación de cuatro objetos iguales (de los cuales quitan uno para volver al tres) pero en otras culturas el cuatro es símbolo de fortuna por lo que una vez más nos referimos a las creencias personales y nos guiaremos por nuestra intuición a la hora de potenciar con números.

La zona del Bagua que potencia el cuatro es la de riqueza, pero por estas contradicciones encontrareis libros de Feng Shui que en prosperidad colocan las tres monedas chinas en lugar de cuatro, en mi experiencia funcionan ambas. Hay culturas en las que el numero cuatro es símbolo de solidez y equilibrio.

> El **número 5** simboliza protección, autoridad y honor, se asocia en las creencias religiosas con el dios del hogar, protege las casas; el cinco es el centro del *cuadrado mágico*, el equilibrio.

> El **número 6** es un número propicio, se trata de una duplicación del número tres que ya vimos que atraía la suerte y la fortuna.

> El **número 7** es el número más mágico y poderoso, no solo en la cultura china, pero aquí cobra una relevancia muy especial.

Una secuencia de siete veces siete es muy buena para los chinos, en general una distribución de siete objetos tiene en el Feng Shui más esotérico un sentido casi sagrado. Potencia la creatividad y la venida de nuevos hijos al mundo.

> El **número 8** son los puntos cardinales, los 8 trigramas del Bagua y los ocho lados de la figura octogonal, también un numero bueno y propicio.

> El **número 9** representa la longevidad, muy buena suerte (ya que son tres veces tres); una pecera con nueve peces es fortuna en Feng Shui.

Estos números del *cuadrado mágico* tienen un movimiento que veremos en el capitulo siguiente ya que el *cuadrado mágico* o Lo Shu y la numerología tienen muchas más aplicaciones. En la escuela de las estrellas voladoras el uso del cuadrado es completamente diferente.

Estrellas sobre el destino de nuestra casa y nuestra vida

Esta escuela de Feng Shui es un sistema numérico que hace el estudio en relación a la compatibilidad de la casa con la persona.

Cuando hablamos de estrellas no nos referimos a los astros celestes, sino a energías que son sensibles y susceptibles a cambios en relación al tiempo y el espacio. Por lo tanto la aplicación de este método a pesar de lo que su nombre sugiere no requiere la observación del cielo. Sin embargo el visualizarlas como estrellas le pone forma y nombre a las energías.

Las «estrellas» capturan la energía de la casa en el momento de su construcción, es decir una casa «nace» en el momento que terminamos de cerrar su espacio. Por esa razón para un estudio de estrellas siempre te pedirán el año de construcción de la casa. Consideramos el día que se termina la construcción como el nacimiento de esa nueva finca y ese dato es importante.

También en la astrología occidental que más conocemos podemos levantar una carta natal de cada momento, podríamos también levantar del «nacimiento» de una nueva finca, esa sería una explicación más occidental de este sistema, sin embargo para las estrellas tenemos en cuenta más factores como las direcciones con una brújula, por lo que no es lo mismo que una carta natal astrológica.

En este caso elaboramos lo que se llama una *carta geomántica* que establece una relación con la energía propia del edificio, estrella base y la energía que recibe del frente hacia el cual se oriente, estrella de frente y la energía opuesta a la cual se orienta, estrella de montaña, la combinación de las tres genera un verdadero mapa de energías del edificio.

Esta escuela nos sirve sobre todo para cuando vamos a construir una vivienda, para su mejor orientación, para cuando vamos a reformar (ya que con una reforma importante que incluya estructura podemos modificar la estrella base), también nos es muy útil cuando estamos buscando una vivienda o un local comercial para saber antes de adquirir un inmueble si su energía nos es favorable y saber si es positiva la distribución de sus espacios interiores, sobre todo para la colocación de elementos de agua y fuego, ya que las estrellas están asociadas también a un elemento.

En los casos prácticos de este libro podrás ver un ejemplo de cómo aplicamos esta escuela.

Es una escuela compleja en la que es necesaria la intervención de un profesional de esta técnica para llevarla a la práctica en tu hogar, sin embargo, si tienes curiosidad para saber cuál es la carta geomántica de tu casa, teniendo los datos de base y frente, puedes obtenerla de forma gratuita en internet, hay numerosas páginas que incorporan una calculadora de cálculo de las estrellas voladoras, solo necesitas saber los datos de año de la construcción para la estrella base y los grados del frente de tu hogar para las estrellas de frente y montaña.

Vamos a ver ahora cómo puedes obtener los datos para el cálculo de tu carta geomántica:

Iremos por partes; en primer lugar necesitaremos el año de construcción de la casa para determinar cuál es su estrella que denominamos *base*.

Ya hemos mencionado antes que el calendario chino cambia cada 20 años en lo que se refiere a la combinación numérica del cuadrado Lo Shu. Esta es la herramienta básica que utilizamos para esta escuela.

Tanto el año como los meses del calendario chino empiezan siempre con la segunda luna nueva después del solsticio de invierno, por ese motivo la fecha del año nuevo chino es variable, necesitaremos conocer, pues, el inicio del calendario chino del año que necesitamos aplicar. Como los cambios para los datos de la estrella base cambian cada veinte años sería solo necesario ese dato exacto en caso de que la construcción de la finca que estuviéramos mirando coincidiera con uno de esos años de cambio, en el caso de que un edificio fuese «cerrado» en enero o febrero antes del cambio del año chino debemos tomar como referencia de año de construcción el año anterior.

Veamos en la siguiente tabla cuándo cambian los años chinos:

Años	Año nuevo chino
1904	16 de febrero
1924	5 de febrero
1944	25 de enero
1964	13 de febrero
1984	2 de febrero
2004	22 de enero
2024	10 de febrero

Y en esta tabla, a qué estrella base se corresponde según el periodo de año de construcción de una finca.

Estrella base	Años
1 Blanco	1864-1883
2 Negro	1884-1903
3 Jade	1904-1923
4 Turquesa	1924-1943
5 Amarillo	1944-1963
6 Blanco	1964-1983
7 Rojo	1984-2003
8 Blanco	2004-2023
9 Púrpura	2024-2043

La estrella base es la esencia de la energía de la casa, la que fue encerrada o «capturada» en el momento en que se hicieron los cerramientos, podíamos haber terminado los acabados interiores o no, esta estrella se refiere a la energía del nacimiento del nuevo hogar.

*Una casa construida en 1970 tiene como estrella base el 6 blanco.

Veamos qué hacemos con esta información:
Ya mencioné en el capitulo anterior que el cuadrado Lo Shu era la herramienta más importante para esta escuela, para usarlo utilizaremos su referencia numérica con lo que se determina el «sello de Saturno» o el «vuelo de las estrellas». Con el seguimiento de la secuencia numérica creamos este dibujo que es el «sello de Saturno».

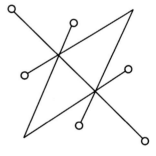

Esta secuencia numérica se utiliza en esta escuela para crear una carta geomántica. Para no hacer complejo este apartado cogeremos los datos de la información que obtuvimos de internet cuando aportamos los siguientes datos:

1 Año de la construcción (que ya sabemos, teniendo en cuenta el dato del cambio del año chino).

2 Grados del frente del inmueble con referencia al norte magnético.

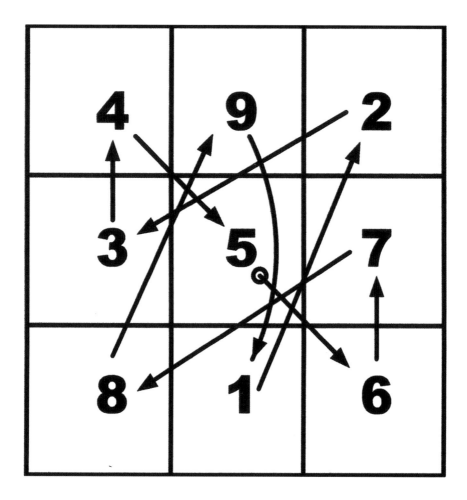

El frente de un edificio es aquel que está más despejado, con más visión (lo vimos en el apartado de la escuela del paisaje) puede coincidir o no con la puerta de entrada. Es la dirección menos obstruida, podemos observar desde el interior del inmueble hacia dónde podemos ver el panorama más amplio y ese será nuestro frente.

3 Leeremos los grados como referencia al norte con la brújula colocada al frente del edificio; en el DVD te mostramos cómo tomar estos datos.

Las estrellas de frente y montaña se te darán en los cálculos automáticos de las calculadoras de estrellas al introducir estos datos. Una vez las tengamos es necesario superponerlas a la vivienda y tendremos el norte magnético como referencia para colocarlas.

Como también es necesario conocer la interpretación de las combinaciones y es tan compleja como la interpretación de una carta natal, no vamos a entrar en ello pero sí adjunto el plano de una casa que veremos en el DVD y en el apartado **Viviendas, pisos y casas con diferentes plantas,** en «Una vivienda desde las estrellas» y colocamos el cuadrado Lo Shu y las estrellas en ella.

En el DVD te mostramos los pasos.

Estos planos los tenemos analizados en el capítulo de viviendas. Aquí te indicamos cómo colocar el cuadrado Lo Shu en el plano y situar los números de combinaciones de estrellas en la vivienda.

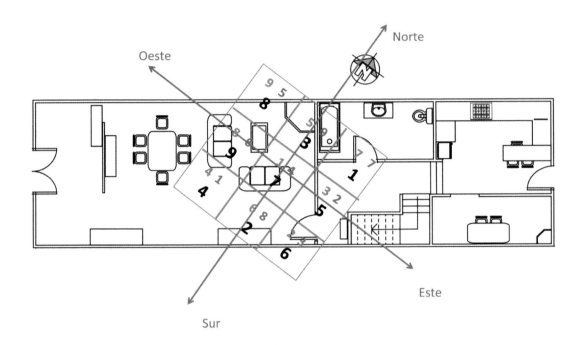

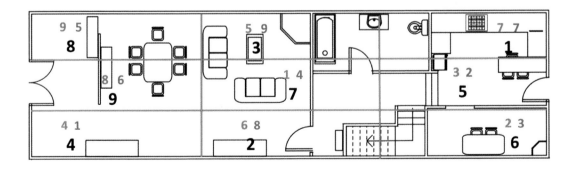

En los planos anteriores no tenemos en cuenta las ausencias de la vivienda. En el caso de que en algún plano las hubiera, no existe tal concepto como tampoco las áreas del Bagua, no existe el Bagua de las nueve aspiraciones para esta escuela.

Trazamos el cuadrado abarcando toda la vivienda y es posible que queden fuera de ella combinaciones de estrellas si el plano es irregular.

En todas las plantas de la casa se colocan del mismo modo, siempre tomando la referencia del norte magnético.

Las estrellas que caigan en baños o ausencias, si son combinaciones negativas nos será favorable ya que su influencia será menor para la casa. Si están fuera (en las ausencias) no nos afectarán si están en los baños, su energía será «baja», por lo tanto cuando vayamos a diseñar nuestra casa sabiendo las combinaciones de estrellas podremos hacer coincidir estos lugares o al reformar podremos cambiar una combinación desfavorable a un baño en lugar de en un despacho, por ejemplo, que pueda afectar la economía.

Tenemos muchas combinaciones entre las estrellas de base, frente y montaña, pero solo algunas de ellas son negativas, las estrellas contienen a su vez un elemento (tierra, agua, fuego, metal...) que podemos controlar o reducir con los ciclos de los cinco elementos que se utilizan en esta escuela igual que en las anteriores. Los ciclos siempre son los mismos que vimos en el capítulo tres.

Es aconsejable que cuando pidas un estudio de Feng Shui completo te incluyan estos cálculos para conocer si tienes alguna combinación negativa que pudiera activarse al colocar algunos remedios de agua o fuego, o si después de haber realizado Feng Shui ves que los resultados no son los que esperabas, aplicar esta técnica te dará nueva información que podrá reactivar tu buen Feng Shui.

Muy recomendable en el caso de reformas de interiores y nuevas construcciones.

Para la interpretación correcta vuelvo a remitirte a un experto, en la Asociación de Profesionales del Feng Shui de Habla Hispana, tenemos profesionales de esta técnica y también un curso *on line* o la formación profesional presencial donde puedes aprenderla, visita nuestra web: **www.fengshuihablahispana.com**

Nos falta la interpretación de la escuela Bazi, llamada también los cuatro pilares del destino, una introducción a la astrología china que veremos en el siguiente capítulo.

La escuela Bazi, astrología china

La astrología es un mundo fascinante de información sobre nosotros, aquí en occidente conocemos los 12 signos del zodiaco y más o menos su significado e interpretación, que dista mucho de conocer en profundidad el mundo astrológico. En la astrología china nos abrimos a todo un mundo de conocimiento diferente pero no por ello menos revelador.

Nos regimos por el calendario lunar chino que tiene la fecha de inicio variable entre los meses de enero y febrero como ya hemos visto en capítulos anteriores, también en este caso, si deseas calcular los cuatro pilares y tu horóscopo chino puedes saberlo con facilidad en páginas especializadas en Internet, por ejemplo.

La escuela Bazi o cuatro pilares del destino está basada en la energía de los 12 animales terrenales (que no tienen que ver nada con los 12 signos del zodiaco) y en la energía de los 5 elementos (como todo lo que se refiere al Feng Shui).

Cada uno de estos pilares se corresponde a un tronco terrestre relacionado con los doce animales del horóscopo chino más su elemento por naturaleza y un tallo celeste relacionado con la energía del cielo y a su vez con los cinco elementos.

Se llama *cuatro pilares del destino* porque para la composición de una carta natal necesitamos cuatro referencias:

1 Pilar del año de nacimiento
2 Pilar del mes de nacimiento
3 Pilar del día de nacimiento
4 Pilar de la hora de nacimiento

El animal que gobierna el año ejercita una influencia sobre nuestra vida.

Cuenta una leyenda, en este caso, que Buda próximo a la iluminación, convocó a todos los animales del planeta pero solo acudieron 12 y por este mismo orden: la rata, el buey o búfalo, el tigre, la liebre o conejo, el dragón, la serpiente, el caballo, la cabra o oveja, el mono, el gallo, el perro y el jabalí. Puesto que estos fueron los que acudieron, Buda les otorgó ciertas cualidades y defectos a cada uno que influirían en las personas nacidas en el mismo año chino y compartirían rasgos y tendencias parecidas en su personalidad, cada uno de estos animales rige años diferentes y tiene unas características peculiares que resumiremos a continuación.

Siempre que describo personalidades y rasgos de las mismas me gusta aclarar que dependiendo del grado de evolución de las personas las cualidades y/o defectos que se nombran pueden estar potenciados o resueltos, por lo tanto espero que las descripciones te sirvan como una información más y nunca como un modo de calificar «yo soy así» y sin posibilidad de cambio y mejora. Toda la información que recibimos en este libro es para que nos ayude a conocernos y a superar nuestras limitaciones haciendo de nosotros personas más completas.

Rata

Nacidos en los siguientes años según el calendario lunar chino: 1936, 1948, 1960, 1972, 1984, 1996, 2008...

Se trata de personalidades bastante tercas pero muy inteligentes.

Pueden salirse un poco de sus casillas cuando se sienten acorralados y no llevan bien las críticas sobre su persona pues necesitan de la aprobación de los demás. A veces pueden resultar un poco inseguros y temerosos.

Son organizados, perfeccionistas y autosuficientes, normalmente afortunados, pueden sin embargo no ser muy generosos. Son personajes con fuerza en las situaciones de supervivencia. Fieles a sus amigos y también en el amor.

Buey o búfalo

1937, 1949, 1961, 1973, 1985, 1997, 2009...
Personalidades fuertes y con las ideas muy claras, actúan con determinación y paciencia.

Aunque pueda parecer que se mueven con lentitud, normalmente alcanzan el objetivo incluso antes que su adversario ya que su esfuerzo es persistente.

Conservadores y silenciosos, actúan con discreción y son pragmáticos y claros con sus metas. No es recomendable hacer enfadar a un buey, puede resultar incontrolable si se siente encolerizado.

Tigre

1938, 1950, 1962, 1974, 1986, 1998, 2010...
Se trata de líderes con un gran carisma y valor, son afortunados en la vida, rápidos y energéticos, les gusta trabajar en soledad; algunas veces suaves como un gato y otras feroces como un tigre.

A veces posesivos. Imprevisibles, seguros y poderosos, necesitan de nuevos desafíos puesto que se trata de cazadores. En el amor son de corazón cálido y noble.

Liebre o conejo
1939, 1951, 1963, 1975, 1987, 1999, 2011...
Buenos diplomáticos, la amabilidad es su fuerte, difícilmente serán ofensivos o agresivos ya que han nacido tácticos.
Pueden ser algo tímidos e inseguros y por esa razón cuidan mucho su imagen y tienen un comportamiento correcto y delicado. A veces pueden lamentarse con facilidad.

Dragón
1940, 1952, 1964, 1976, 1988, 2000, 2012...
Esta es una personalidad de líder nata, son afortunados de forma natural, independientes y con mucha energía, pueden resultar un poco exhibicionistas y arrogantes si no han madurado y fácilmente irritables.
Obtienen el éxito con facilidad y pueden ser orgullosos si no comprenden su verdadera naturaleza.

Serpiente
1941, 1953, 1965, 1977, 1989, 2001, 2013...
Son personas encantadoras y seductoras aunque a veces pueden entrar en el engaño. Su atractivo no quita que puedan ser celosos y posesivos.
Evitan enfrentamientos y pueden esconder sus sentimientos ya que no les gustan el caos ni las sorpresas. Algo perezosos y en ocasiones, si no controlan su mente, puede perturbarles.

Caballo
1942, 1954, 1966, 1978, 1990, 2002, 2014...
Aventureros e inquietos, son de personalidad muy activa y les gustan los deportes y los viajes. Tienen valor y son independientes por lo que

pueden dejar el hogar paterno a edad muy temprana.
Enérgicos y ambiciosos son sensibles y pueden sentirse agraviados con facilidad. Personas sinceras, sociales y extrovertidas.

Oveja o cabra
1943, 1955, 1967, 1979, 1991, 2003, 2015...
Artistas románticos y soñadores que sin embargo son algo desorganizados e imprecisos y pueden esconder sus intenciones, tienden a la manipulación a veces pero también tienen una gran paciencia.

Mono
1944, 1956, 1968, 1980, 1992, 2004, 2016...
Son extrovertidos y tienen un gran sentido del humor, ágiles y poco convencionales, muy creativos, por lo que pueden resolver cualquier problema con su ingenio, sin embargo les cuesta comprometerse.

Gallo
1945, 1957, 1969, 1981, 1993, 2005, 2017...
Son luchadores natos, a los que les gusta llamar la atención y tener prestigio. Quieren tener su tiempo siempre ocupado y tienen una mente clara e inteligente.
Personalidad franca y clara que les puede acarrear algún que otro problema, ya que no son muy diplomáticos.

Perro
1946, 1958, 1970, 1982, 1994, 2006, 2018...
Amigos fieles y honrados, sin embargo no son muy sociables ya que les gusta la soledad, a veces pueden caer en el pesimismo y deprimirse. Les gusta ayudar a los demás, escucharles y guardar fielmente sus secretos. Pueden tener golpes de mala suerte que les llevarán a vivir acontecimientos difíciles que superarán no sin esfuerzo.

Jabalí o cerdo

1911, 1923, 1935, 1947, 1959, 1971, 1983, 1995, 2007...

Son personas honestas y francas, les gusta servir y hacer felices a las personas de su entorno. Son modestos y algo tímidos, se mantienen al margen actuando entre bastidores porque no les gusta sobresalir. Tienen facilidad para olvidar experiencias difíciles y eso puede llevarles a repetir algunos errores. Les gusta el lujo y tienden a tener buena fortuna. Les falta diplomacia y la sinceridad puede hacerles perder algún amigo. Tienen habilidad para los trabajos manuales.

También por cada ciclo de doce meses, los doce animales tendrán características distintas en función del elemento que los rige: madera, agua, tierra, fuego y metal, cada uno de estos elementos puede tener energía Yin o Yang.

En el pilar del mes de nacimiento determinamos qué elemento es el que nos rige.

Con el pilar del día y de la hora de nacimiento podemos confeccionar los cuatro pilares de nuestra carta de nacimiento.

El pilar del año

Representa a nuestros antepasados y la sociedad en la que vivimos, nuestra relación con los amigos.

El pilar del mes

Representa la relación con los padres, nos dice mucho sobre nuestro entendimiento o desentendimiento con ellos y nuestra ascendencia.

El pilar del día

Representa a uno mismo y la relación que tenemos con nuestra pareja, nuestros gustos, nuestro propio valor reflejado en la pareja.

El pilar de la hora

Representa la relación con nuestros hijos o personas que trabajan para nosotros o están a nuestro cargo, ya sea en el trabajo, en casa o cualquier ámbito social. También significa la etapa final de nuestra vida.

Para tener una lectura completa de nuestra carta necesitamos a un profesional, del mismo modo que es necesario un astrólogo para la interpretación correcta de una carta natal occidental.

Pero con los cuatro pilares podemos conocer el equilibrio de los cinco elementos en nuestra personalidad en el momento en que nacemos.

Si buscamos pues la interpretación de los cuatro pilares, podemos ver que en cada pilar se reparten esos cinco elementos y podemos observar si alguno de ellos nos falta o si otro elemento tiene mucha presencia.

Podemos determinar entonces si somos más agua o fuego o si tenemos carencia de nacimiento de alguno de los elementos, veamos un poco la descripción de las personalidades de cada uno de los elementos:

Personalidad agua

Sentimiento, sensibilidad, que tiene facilidad para moverse en el mundo de los sentimientos, puede llorar y sufrir en intensidad pero supera las situaciones y sigue adelante.

Si tenemos carencia de este elementos podemos pasarlo muy mal cuando nos enamoramos o en el momento de una ruptura.

Personalidad madera

Es creativa y llena de ideas, necesita trabajar con sus manos y huye de la rutina y las obligaciones impuestas.

Si carecemos de este elemento podemos sentirnos bloqueados cuando la vida nos lleva a situaciones en las que tenemos que reinventarnos para salir adelante.

Personalidad tierra

Es organizativo, paciente, meticuloso y muy ordenado. Le gusta tenerlo todo planificado y al día, se pone muy nervioso cuando hay imprevistos en su vida.

Si carecemos de este elemento podemos tener dificultades con el orden y agobiarnos si todo es programado en nuestra vida, es una personalidad que tanto en defecto como en exceso puede traer problemas; tener un punto de equilibrio de tierra es muy bueno para nuestra vida.

Personalidad metal

Es una persona que puede ser extremadamente fría y mental, su mente, su pensamiento, es poderoso, tiene facilidad para el estudio, la comunicación y la palabra aunque en el mundo de los sentimientos acostumbra a tener dificultades.

La persona con carencia de metal tendrá problemas para estudiar y también puede tenerlos en la economía, ya que el metal desarrolla una facilidad innata en el manejo del dinero, y si se carece de este elemento puede llevar a derrochar o no saber administrarse.

Personalidad fuego

Es el elemento con más pasión y fuerza, brilla con luz propia y se hace ver delante de los demás, puede dar algo de prepotencia sobre todo si no desarrollas las cualidades de tierra o de agua (los elementos que pueden controlarle o reducirle), tenderá a empezar muchas cosas pero a terminar pocas, ya que para terminarlas necesita de las cualidades de tierra.

Si tenemos carencia de fuego podemos tener miedo a iniciar algo nuevo y a la visibilidad, si la vida nos lleva hacia un trabajo en el que necesitamos hablar en público, por ejemplo, lo pasaremos bastante mal si esta es nuestra carencia.

Vemos que son importantes también las cualidades de los elementos en nosotros y conseguir el equilibrio de nuestra personalidad con todos ellos.

Tendremos en cuenta, pues, para el análisis natal, además del animal, el elemento que somos y sobre todo del que carecemos, pues esta será la lección que deberemos aprender durante la vida y se nos presentará en la forma de personas con las cuales nos relacionaremos, y muchas veces nos «enamoraremos», que serán el elemento del que carecemos.

Cuanto más evolucionados estemos, de algún modo más completos, más fáciles serán también nuestras relaciones personales.

Veamos un ejemplo de una mujer nacida el 15 de agosto de 1967 a las 10:35 h.

Esta persona tendría en su carta o cuatro pilares la siguiente composición de los cinco elementos:

> Agua 2
> Tierra 2
> Fuego 2
> Metal 2
> Madera 0

Necesitará desarrollar las características del elemento madera a lo largo de su vida.

Para completar la carencia del elemento podemos hacerlo en la habitación de descanso incluyendo imágenes, colores y formas que nos ayuden a integrarlo.

Para desarrollar la madera, en el caso de esta mujer, podemos pintar de verde la pared del cabezal de la cama, incluir sábanas con este color y la cama de madera y accesorios de este elemento en la habitación.

Aunque pueda crearse un desequilibrio de los elementos a favor de este nos está favoreciendo para desarrollar la carencia personal.

Incluir una imagen del mandala de tu elemento en carencia delante de ti para que puedas verlo todas las mañanas al despertar y todas las noches al acostarte ayudará a que el elemento de tu carencia se desarrolle en tu personalidad

y esto favorecerá tus relaciones, en especial la relación de pareja.

También veremos que su animal es la cabra y los elementos del año la tierra y el fuego, por lo tanto su personalidad puede tener rasgos de las características del animal y también de los otros elementos que lo rigen. En este caso el elemento fuego esta relacionado con el año y la tierra es la energía intrínseca del animal (la cabra). Cada animal en los cuatro pilares tiene su elemento de origen o rama terrestre y el otro elemento es el de referencia del año, mes, día y hora, lo que llamamos el tallo celeste.

Un análisis completo de su carta natal es tan complejo como el de la astrología tradicional.

La astrología china nos puede ayudar a identificar algunas de nuestras características, pero siempre para poder mejorar y corregirlas.

No resultaría positivo leer en este capítulo que eres posesivo y celoso y que ello te sirviera de disculpa para tu comportamiento, como siempre; es importante leer entre líneas y que toda la información que obtengamos de esta escuela de Feng Shui nos sirva para reconocer rasgos de nuestra personalidad y mejorarlos siempre desde la superación para ser cada día mejores.

Si no reconoces alguno de los rasgos problemáticos es posible que ya lo hayas superado y si el rasgo es positivo, como tu valor o liderazgo y no lo experimentas, busca dentro de ti porque seguro que se encuentra dormido y este texto puede hacerlo despertar.

VIVIENDAS, JARDINES Y NEGOCIOS

Viviendas: pisos y casas con diferentes plantas

En este capitulo veremos casos reales donde hemos aplicado el Feng Shui de las diferentes escuelas y se han obtenido resultados beneficiosos para los ocupantes de las mismas. En cada caso se eligió una escuela o técnica en particular dependiendo de las necesidades o características de los inmuebles o las personas y también de los datos que teníamos para poder elaborarlos. Estas viviendas son casos reales donde se han cambiado nombres y omitido algunos detalles personales, y se corresponden con los que podéis ver tanto en el DVD como en las imágenes de este capítulo.

En los diferentes ejemplos veremos un piso, como los que tenemos en las ciudades, en el que aplicamos el Feng Shui de la escuela Bazi y los cuatro pilares. Vamos a ver también una casa ubicada en un entorno más natural, aunque no aislada pues tiene otras casas vecinas, esta casa además no es una vivienda habitual, sino de fin de semana y como observaréis debe tener una energía especial y activa. Aquí se aplicó el mapa Bagua por la puerta de entrada. Finalmente veremos como ejemplo una casa ubicada en un pequeño pueblo y armonizada con la escuela de las estrellas voladoras.

Debo decir que en cada una de las casas o pisos hemos conseguido el resultado esperado, habiendo aplicado una u otra escuela, de las cuales hemos hablado en este libro y DVD. También debo decir que no todo el mérito es del Feng Shui, sino que el éxito conseguido también es gracias a los cambios que sus habitantes realizaron en ellos mismos.

Un piso con buen Feng Shui

Esta es la vivienda de Marta, una mujer independiente, inteligente y de éxito. Su espacio de trabajo abarcaba casi toda su vida en el momento de hacer la consulta. Debíamos conseguir espacio personal, íntimo y mejorar la vida social además de potenciar su creatividad (elemento madera) que era su carencia de nacimiento, por lo que se realizaron algunos cambios que condujeran su vida hacia estas preferencias.

Elegimos pintar el salón comedor en un tono verdoso para potenciar el elemento madera, su primera carencia personal, esto potenciaría la creatividad que necesitaba para lanzar un nuevo proyecto en esos momentos de su vida y además ayudaría a atraer a su vida una persona con esa cualidad. Marta no tenia pareja en esos momentos y deseaba tenerla, una persona creativa e independiente era su complemento ideal, para contrarrestar su racionalidad y romper su rutina, conservando la independencia.

En la habitación de descanso también incluimos mediante el arte (un mandala) la integración de su carencia natal. Se potenciarán la pareja y las relaciones así como se desvinculó el área de trabajo de su habitación de descanso, antes tenía el despacho dentro de la suite y eso impedía que tuviera tiempo para el ocio y relacionarse, quitamos el espacio de trabajo de la habitación y lo trasladamos al comedor. Sus relaciones mejoraron y aumentaron en cantidad y calidad, y un día, sin esperarlo, conoció a un escultor que le presentaron unos amigos...

Una casa de fin de semana

El refugio y la recarga energética después de una dura semana de trabajo debe ser un lugar muy especial y es importante armonizarlo con Feng Shui.

Como no vamos a vivir en ella todos los días, los cambios aplicados y el modo de armonizarla serán un poco diferentes, de modo que la energía se conserve activa durante la semana, cuando la casa esta en soledad, para recibirnos el fin de semana en todo su esplendor.

También hay otros factores que son determinantes en el caso de vivir siempre en la casa, pero cuando la visitamos ocasionalmente es diferente. Es el caso de las bigas en el techo, los techos inclinados de las habitaciones o los ventanales en el techo de la habitación, convivir día a día con estas estructuras puede resultar incómodo y bajar nuestra energía, sin embargo, para una casa en la montaña, como es este caso, que vamos a visitar cuando queremos «recargarnos» puede resultar muy beneficioso ver las estrellas o la naturaleza y no sentir ninguna molestia por el hecho de dormir bajo un techo inclinado o unas bigas de madera...

En este hogar se aplicó el Feng Shui de la forma y la escuela budista o intuitiva. La consulta la realizó Esther Ferrer, profesional de mi equipo y miembro de la asociación de profesionales. Ella misma ha escrito este caso y nos lo cuenta a continuación...

«Cuando supe por primera vez de esta casa tan solo era un proyecto, los propietarios buscaban un lugar en la montaña donde escapar los fines de semana con sus hijos. El matrimonio buscó en la Cerdanya, una zona de espacio natural en la provincia de Girona, recorrieron pueblo a pueblo hasta encontrar uno que reuniera las características que ellos buscaban. Para esta familia era importante que fuera un pueblo pequeño, tranquilo, fuera del tráfico, donde los niños y ellos mismos pudieran disfrutar de la libertad y el contacto con la naturaleza que la ciudad les negaba.

»Yo los conocí al hacer la consulta de la casa que tienen en la ciudad y cuando finalmente adquirieron la nueva vivienda de fin de semana me llamaron para contratarme, y así armonizar con Feng Shui su nueva casa desde el inicio.

»Cada lugar es diferente y el espacio exterior tiene mucha influencia, en la montaña disfrutamos de la naturaleza y no tenemos electrocontaminación.

»Pero una casa de fin de semana puede perder Chi (energía) si solo la visitamos ocasionalmente por lo que mi cometido era lograr que esta energía se mantuviera activa durante la semana aunque la casa permaneciera cerrada. Para ello usamos diferentes estrategias como colocar algunas esferas de cristal, potenciar con luces y colores y efectos puntuales que nos aseguraran que el fluir de energía sería constante y así evitar estancamientos.

»En cuanto a la armonización, el deseo de los propietarios era que intentáramos utilizar remedios discretos y que respetaran el estilo de montaña pues le daban mucha importancia a la decoración; también me sugirieron si podía utilizar como soluciones algunos cuadros y artesanías que ellos ya tenían. Y así lo hice, utilizando, por ejemplo, un gran espejo rústico, colocándolo como remedio en la pared donde se encuentra la chimenea y de esta manera compensar la zona de agua de ayudas que quedaba desequilibrada por el exceso de fuego que representaba la chimenea, también usamos un grupo de angelitos de diferentes formas y materiales que tenían repartidos por todas la habitaciones a modo de colección engarzándolos a la piedra que decora la pared de ayudas y acabando de esta manera de armonizar la zona dándole un toque original y creativo.

los descansos de estas. Pero sin duda el remedio que más gustó a la familia fue el de dos ratoncitos de trapo artesanales que, colocados en el hueco de una ventana, armonizaban la zona de relaciones.

»Utilizamos diferentes pinturas que habían guardado para esta casa como un cuadro valioso y dorado, herencia de la familia, para la zona de prosperidad y otro en el que se muestra un prado de flores entre azul y verde que comparten la zona de saber y salud.

»Para subir y compensar la pérdida de energía de la escalera colocamos velas con diferentes pies de piedra en el bajo de las escaleras y en

»Y es que armonizar con Feng Shui, además de un fácil trabajo si se conoce la técnica, puede ser también algo creativo y de poco coste si para ello utilizamos remedios que ya tenemos en casa o que creamos nosotros mismos.

»Una planta sana y frondosa de hojas redondas, además de ser un gran potenciador de salud, también puede armonizar la zona de prosperidad.

»La decoración de esta casa junto a los remedios del Feng Shui crean una atmósfera acogedora que lleva al recogimiento y refugio de todos los que en ella se hospedan, convirtiendo la en el espacio perfecto para crecer y recargarse durante los fines de semana y las estancias vacacionales.»

Esther Ferrer
Consultora profesional de Feng Shui

Veamos ahora cómo se analizan los planos según la escuela budista o intuitiva y en el DVD veremos los detalles de cambios en la casa de los que nos ha hablado Esther.

Analizamos el entorno de la finca con la escuela de la forma y paisaje

Casa protegida en el entorno por ambos lados, determinamos el frente en la parte del pasillo exterior ya que en la parte del jardín trasero tenemos otra urbanización de casas igual a esta que nos protege la espalda (tortuga). Teniendo despejado con vistas a campos y montaña la parte delantera de la finca (ave fénix).

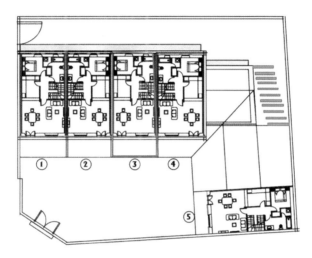

¿Como trazamos el Bagua?

Lo hacemos en todas las plantas de la casa teniendo en cuenta cuál es la entrada más utilizada para acceder a la planta y siguiendo la dirección de la misma para poder encontrar las áreas de forma correcta. Entrada por el garaje:

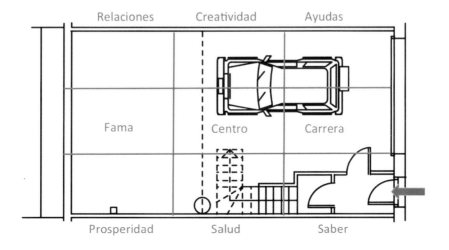

La entrada principal de acceso a la casa es por el garaje, siendo además casa de fin de semana siempre el acceso primero y ultimo a la vivienda cada vez que vamos a visitarla será por esta entrada. Vemos que tenemos las escalera justo delante del acceso. Planta baja:

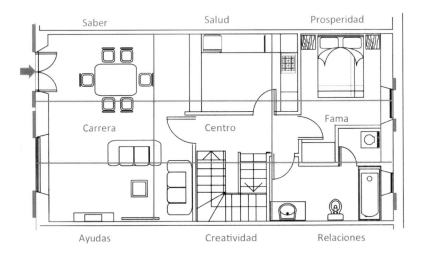

Aquí sin embargo hemos trazado el Bagua teniendo en cuenta la entrada y salida por la calle (parte trasera de la finca) ya que en el momento en que ya la familia se instala en la casa, las salidas y entradas siempre son por aquí, para los paseos que se disfrutan durante las vacaciones o el fin de semana siempre se usa la entrada de esta planta para ello.

Para esta planta nos guiamos por el acceso a la misma desde las escaleras y vemos que las áreas cambian de lugar con respecto a la planta baja. De hecho cada planta tiene su propio Bagua en una dirección diferente.

Puedes ver en el DVD y en las fotografías los detalles de los cambios y las soluciones que se dieron en esta casa. Planta primera:

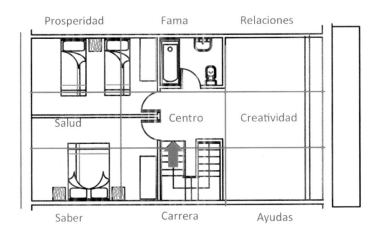

Una vivienda
desde las estrellas

Esta es una vivienda que nació en primer lugar en el siglo XVII, renació en 1896 cuando se reformó completamente y finalmente volvió a nacer en 2003 con una nueva reestructuración de toda la finca. Cuando realizamos reformas importantes, en las que se modifica incluso la estructura de una finca estamos cambiando el año de construcción, se produce un nuevo nacimiento de la vivienda por lo que la fecha de referencia para el cálculo para las estrellas volantes será el año en que terminamos esa reestructuración de la casa, en el caso de esta vivienda tendremos en cuenta el año 2003.

En el DVD puedes ver cómo definimos el frente de la casa y cómo se toma la dirección de frente, los grados con referencia al Norte y qué datos más son necesarios para la elaboración de la carta geomántica. A continuación presentamos un breve análisis con las combinaciones y los remedios o «curas», como se denominan en esta escuela, que serán necesarios para evitar la activación de las combinaciones negativas y las soluciones para potenciar las combinaciones positivas.

Cuando la casa tiene diferentes plantas, en cada una de ellas, las estrellas están en la misma dirección puesto que la referencia para colocar el Lo Shu siempre es el norte, por lo tanto las combinaciones numéricas son siempre las mismas en cada planta de la casa y las soluciones serán básicamente las mismas por elementos a controlar o potenciar.

En primer lugar hacemos un resumen de las combinaciones de estrellas que encontramos en la carta y las anotamos junto al plano.

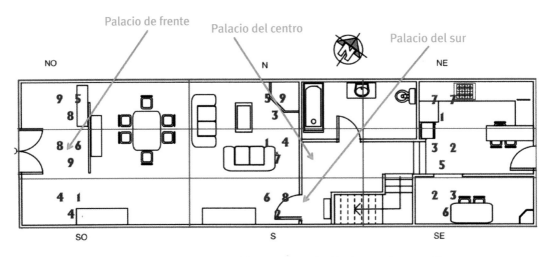

Palacio de frente · Palacio del centro · Palacio del sur

NO · N · NE · SO · S · SE

Indondicionales
2-8 Riqueza (sur)
4-1 Buena suerte (suroeste)

Combinaciones positivas
1-4-4 (suroeste)
8-2-6 (sur)
4-7-1 (centro)
6-9-8 (oeste)

Combinaciones neutras y negativas
5-8-9 Resto negativo (noroeste)
9-3-5 Resto negativo (norte)
7-1-7 Neutra (noreste)
3-6-2 Neutra (sureste)
2-5-3 Negativa (este)

El cálculo de las estrellas lo vemos en el capítulo donde te introducimos en esta escuela, allí vemos también los planos de este caso con las combinaciones numéricas anotadas y cómo colocamos la carta geomántica encima del plano.

Lo más importante es mirar la combinación del palacio de frente, que es la combinación numérica que se encuentra en el centro de la fachada que identificamos como el frente de la casa y luego el palacio central, la combinación del centro de la vivienda.

Las afectaciones o beneficios que tengan cualquiera de estos dos palacios afectarán a toda la casa o toda la familia, mientras que el resto de palacios (cuadrados con combinaciones numéricas) solo afectarán a sus sectores y a las personas que interactúen con dichos espacios.

Hay muchísimas combinaciones numéricas que tienen significados diferentes, no es posible nombrarlas todas por lo que solo analizamos las de este caso, ya hemos comentado que para esta escuela es necesario contar con la aportación de un profesional o un aprendizaje intenso sobre esta herramienta, sin embargo hemos querido incluir un análisis para que podáis ver que finalmente la aplicación práctica es con combinaciones de elementos y objetos decorativos como en las demás. Utilizando siempre los ciclos de los cinco elementos de la naturaleza que vimos al principio del libro.

Después de analizar las combinaciones, una por una, teniendo en cuenta su situación y depen-

Combinaciones positivas

1-4-4 (suroeste)

8-2-6 (sur)

4-7-1 (centro)

6-9-8 (oeste)

El primer número siempre es la estrella de frente, el segundo la estrella base y el tercero la estrella de montaña.

Cuando tenemos combinaciones positivas, las podemos dejar que actúen por sí solas o pode-

Elemento tierra   Elemento agua

Elemento Fuego   Elemento Metal

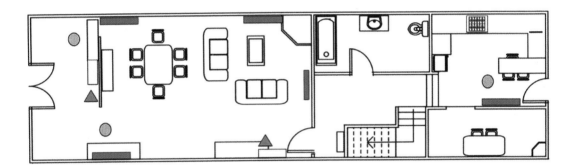

diendo de si está en el frente, en el centro o en cualquier otra ubicación, pasamos a ver las más significativas:

En el palacio del sur tenemos una combinación incondicional, 2 (base) - 8 (frente) que presagia riqueza, aunque es más favorable si se encuentra en el noroeste. En el suroeste tenemos otra incondicional, 4 (base) - 1 (frente) que presagia buena salud y suerte.

mos potenciarlas un poco en relación con el ambiente de la casa que ocupen.

En este caso, todas las combinaciones positivas se encuentran en buenos lugares como en la entrada de la casa, en la sala y en pasillos, que son lugares buenos para potenciar, así que en el palacio de frente que tenemos la combinación positiva 6-9-8 utilizaremos algún elemento de fuego, (velas, un jarrón de color rojo) y el elemento tierra (un mueble o alfombra en tonos terrosos o amarillo) para potenciar las estrellas positivas 8 y 6.

La combinación 4-7-1 la tenemos en el palacio central que corresponde al *living* (sala de estar) aquí trabajaremos colocando el elemento de agua como un cuadro, una pecera o una fuente, para potenciar la estrella de madera 4.

En la combinación 1-4-4 suroeste que corresponde a un espacio entre pasillo y recibidor, trabajamos con algún colgante de metal y un cuadro de agua, para potenciar las estrellas 1 de agua y 4 de madera.

La combinación 8-2-6 sur esta en un espacio de transición, así que potenciaremos por un lado con algún detalle de fuego para potenciar la es-

trella 8 de tierra y un cuadro de tierra para potenciar la estrella 6 de metal.

Combinaciones neutras

7-1-7 neutra (noreste)
3-6-2 neutra (sureste)

El caso de las estrellas neutras lo dejamos como está, ya que no tienen efectos positivos ni negativos.

Combinaciones negativas

5-8-9 resto negativo (noroeste)
9-3-5 negativo (norte)
2-5-3 negativa (este)

La combinación 5-8-9 noroeste nos deja un resto negativo, está en el recibidor y, para neutralizarla, utilizaremos metal en movimiento, un reloj de péndulo o un juego de viento con tubos de metal y un cuadro de agua o una pequeña fuente, preferentemente en movimiento, para contrarrestar el efecto negativo de la estrella 5 de tierra.

La combinación 9-3-5 al norte es una de las más urgentes de trabajar, al coincidir con la sala donde existe una chimenea que potencia tanto la estrella 5 tierra como le da fuerza a la estrella 9 de fuego que al estar combinada con el 5 se convierte en negativa, por lo tanto debemos colocar una fuente de agua en movimiento o una pecera, la pecera debe tener 6 peces de color negro u oscuro, nunca rojos.

La combinación 2-5-3 al sureste es negativa e importante de neutralizar, pues se encuentra en el comedor de diario.

Las estrellas 2 y 5 juntas presagian enfermedad, para neutralizarlas usamos un elemento de metal, un péndulo, un juego de viento, y colocar un cuadro importante de agua.

Se cambia de lugar la salida de esta puerta para no activar la combinación negativa pero igualmente aconsejamos colocar los remedios de elementos.

Este es un breve resumen de una consulta de Feng Shui desde la escuela de las estrellas, vemos que el funcionamiento de las curas es con la utilización de los ciclos de los cinco elementos, al igual que las demás. Es interesante si tenemos los datos del año de construcción y sabemos tomar los grados del norte con referencia al frente, sacar una carta geomántica (puedes hacerlo por Internet) para ver si existe alguna combinación de estrellas negativa que pueda dificultar o entorpecer el flujo de energía armonioso de tu hogar o si entran en conflicto los elementos.

Escucha a tu interior y elige la escuela y la técnica con la que tu hogar te está hablando, si dudas continúa conmigo, más adelante encontrarás cómo decidir desde tu ser interior lo mejor para tu hogar. El Feng Shui te ayuda a equilibrar tu entorno, todas las escuelas esconden una gran sabiduría, solo has de elegir la técnica que mejor se adapte a ti y con la que te sientas más tranquilo y en paz.

Jardines: armonía en el exterior

*por **Ana Claudia Camponovo**, arquitecta*

Para el Feng Shui es muy importante la armonía en todos los aspectos y ámbitos de nuestra vida, ya sea en espacios interiores como en espacios exteriores.

El Feng Shui es el arte de conseguir el equilibrio espacial de nuestro entorno, es un manejo muy sutil de la energía de nuestro alrededor para crear bienestar.

En el caso de los jardines intervenimos en el espacio inmediato a nuestra casa, como es el jardín, estudiando sus contornos, sus niveles y desniveles, la iluminación, los árboles o arbustos, la presencia de agua y si hay estructuras en el jardín. La importancia de aplicar el Feng Shui en nuestros jardines está relacionada con lo que explico antes, tener a nuestro alrededor más próximo un espacio que nos proporcione bienestar y nos invite a estar a gusto y a pasar a nuestro hogar con buenas energías. No entraré más en detalle en hacer hincapié en la importancia del Feng Shui en nuestra vida, que habrás comprendido a lo largo del libro.

Explicaré la aplicación de el Feng shui de jardines desde la escuela clásica, que toma en cuenta los puntos cardinales alrededor de la casa, para así determinar la calidad de las energías que nos rodean, que está muy ligada a la escuela de la forma. Siempre tendremos en cuenta en el momento de ubicar una casa dentro del terreno las teorías de la escuela de la forma o del paisaje, que nos da las pautas más importantes.

Esta escuela estudia el entorno tomando como referencia las orientaciones y las características climáticas, ya que al ser la más antigua se basa en la observación de los cambios de la naturaleza, del clima, del paisaje, etc.

Como términos generales importantes a la hora de diseñar nuestro jardín, diremos que debe mantenerse un equilibrio entre el Yin y el Yang. No podemos tener un jardín todo llano, con césped muy verde y hermoso, pero todo bajo, porque sería muy Yin, así como tampoco tenerlo lleno de plantas de todos los colores y distribuidas desordenadamente, que seria muy Yang. Lo ideal es que haya una variación de alturas, tanto en el terreno como en las plantas, que los recorridos del jardín sean armoniosos y ondulados, no en línea recta, tener algunos elementos de agua como fuentes o estanques con peces.

En el caso específico de piscinas siempre consultar con un experto, pero también como generalidad puedo decir que esta nunca debe pasar en proporción el tamaño de la casa, puede estar ubicada en la parte posterior de la casa, pero para determinar mejor su posición, existe la llamada fórmula del dragón o fórmula de agua, que está relacionada con los flujos de agua de la casa, las ubicaciones, puntos cardinales y otros factores, por esa razón recomiendo consultar con un especialista.

Empezamos la armonización del exterior. Como primer paso debemos marcar los puntos cardinales.

Dependiendo del terreno, en primer lugar encontraremos el centro del mismo, para luego desde este centro trazar las 8 direcciones: norte, sur, este, oeste, noreste, noroeste, sureste y suroeste.

El caso ideal desde el aspecto de la ubicación en general sería el de la figura 1 donde tenemos un terreno regular, la casa también con forma regular y ubicada en el centro del terreno.

En las figuras 3 y 4, vemos que los terrenos son más irregulares, pero compensando los espacios faltantes encontramos el centro desde el cual trazar igualmente los puntos cardinales.

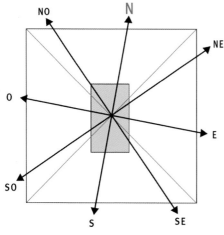

Figura 1

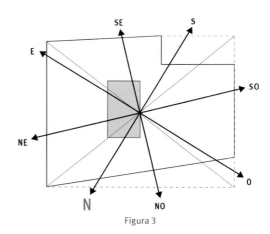

Figura 3

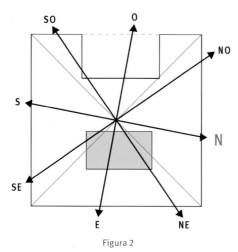

Figura 2

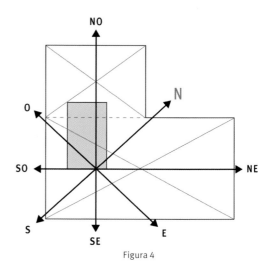

Figura 4

En estas dos figuras los terrenos son uniformes y no tenemos problema en ubicar el centro del terreno y marcar los puntos cardinales, estos puntos los determinaremos con la brújula o si tenemos la referencia del norte en los planos, tomamos este mismo.

El siguiente paso es identificar las energías existentes alrededor de nuestra vivienda, para posteriormente, en relación a lo que tenemos que analizar lo que será necesario cambiar, lo que tenemos que compensar o lo que tenemos para potenciar.

A continuación hago una referencia breve de cómo y con qué elementos se pueden activar estas áreas externas a la casa.

El norte

En la escuela de la forma corresponde a la tortuga que nos aporta protección del frío a través de su caparazón. Simboliza la energía de la noche, es el lugar ideal para colocar elementos de agua, como fuentes de agua, pequeños lagos con peces o tortugas. También una escultura de metal o juegos de viento metálicos potencian esta zona. Esta energía es la expresión de la fluidez en la vida que en la escuela intuitiva está relacionada con la carrera profesional o nuestra profesión. La fuerza del agua activa esta parte de nuestra vida.

Las plantas que podemos utilizar en esta área del jardín deben ser de estatura más alta para así darnos protección en esta dirección, podemos usar el **bambú,** que por sus características y altitud nos da solidez, también algunos árboles como el **ciruelo rojo,** que es de follaje espeso desde su base, tiene buena altura y también muy buena energía para controlar las geopatías, ya que, por ejemplo, así como los gatos se acercan a lugares donde existen geopatías y controlan estas energías, de la misma manera existen plantas que lo hacen, como es el caso del ciruelo. En una zona con geopatías algún otro árbol crecería torcido intentando escapar de esa energía o simplemente moriría.

También podemos usar en esta zona pinos, abetos, etc. Plantas que florecen en colores azul, lila, o blancas como la caléndula, violeta de los Alpes, pensamientos, lavanda... que atraen la energía vital a este punto cardinal.

El sur

En la escuela de la forma el sur está representado por el ave fénix que nos da la visión de futuro, la apertura a nuevas posibilidades. Es la energía del mediodía, que simboliza la energía más Yang o extrovertida del día, este es un espacio para tenerlo preferentemente despejado y/o con arbustos o flores pequeñas. Para armonizar el sur podemos utilizar luz artificial, plantas que florecen de color rojo y amarillo, es el lugar más adecuado para jarrones de cerámicas. En la escuela intuitiva se relaciona con el éxito y la fama, es así como cada punto cardinal representa un aspecto en particular y que se relaciona con nuestras vidas.

Las plantas que podemos utilizar en esta área del jardín no deben ser muy altas ni muy espesas, es importante que nos aporten la energía fuego, como es el **girasol,** que es muy representativo de esta energía, además de conejitos, margaritas del verano, manzanilla tintorera, azafrán, etc. Estas plantas, por sus características y colores, aportan la energía necesaria a esta dirección. También es buen lugar para colocar puntos de iluminación.

El este

En la escuela de la forma tanto como en la mitología china está simbolizado por el dragón verde, una energía muy beneficiosa que nos da apoyo y buena suerte. Es la energía que representa el sol saliente, nuevos comienzos. En la escuela intuitiva está relacionada con la familia y la salud y también con el elemento madera que significa crecimiento.

Es un punto cardinal muy importante, esta área del jardín puede ser muy abundante con flores de diferentes colores, la altura de este sector no debe pasar la altura del norte, por ejemplo el **bambú,** plantado en esta área simboliza longevidad, el cual tendríamos que mantenerlo más pequeño, la **peonia** representa lo que son los nuevos comienzos. Otras flores que aportan mucha energía a este punto cardinal son las begonias, gardenias y crisantemos que atraen la buena suerte.

El oeste

El oeste en la escuela de la forma está representado en la mitología china por el tigre blanco, que aporta apoyo y protección, es de energía más densa. Es el punto cardinal del sol menguante o poniente. En la escuela intuitiva la relación que obtiene este punto cardinal en la vida del hombre son la creatividad y los hijos. Está representado por el elemento metal.

Las agrupaciones de plantas en forma redonda o semiredonda son armoniosas en esta área, la altura de estas formaciones debe ser más baja que las anteriores, es decir, que las del norte y las del este, además podemos colocar arreglos con piedras y esculturas que atraen logros sólidos a la vida. Por ejemplo, algunas de las plantas relacionadas al elemento metal son la **peonia,** que es tanto receptora como emisora de energía.

También plantas de flores blancas. Las plantas de mayor eficacia en el oeste y sudoeste del jardín son las de hojas doradas con tallos plateados.

Las plantas llamadas de invierno, de la familia de los cactus tienen estas características. Estas plantas hermosas activan la esencia de la buena suerte en este punto cardinal.

El noroeste

En la escuela de la forma, no se contemplan o no se especifican los puntos cardinales intermedios, pero tienen importancia dentro del Bagua, una identificación y representación, que es la que tomamos en cuenta para su armonización.

En la escuela intuitiva pertenece al área de amigos y benefactores.

Esta dirección está asociada al elemento metal al igual que a la dirección del oeste, por lo tanto también utilizaremos floraciones blancas, hojas doradas y/o plateadas, conformaciones redondeadas, para potenciar este elemento. Por ejemplo las **margaritas,** que por su energía nos ayudan en la concentración, que es la característica del metal. Además podemos colocar en esta área esculturas de piedra y de metal.

El sudoeste

El sudoeste esta asociado al elemento tierra, energía que estabiliza, en la escuela intuitiva representa el área de la pareja.

En esta área o dirección podemos trabajar con floraciones amarillas, naranjas y hasta de color rojizo, las **gerberas,** tienen características y colores apropiados para esta dirección.

Las **rosas,** también son flores con muy buen Feng Shui y siempre relacionadas con los sentimientos.

El sudeste

Esta dirección está asociada al elemento madera, energía creciente, en la escuela intuitiva relacionada con la abundancia.

En esta dirección es conveniente hacer plantaciones con marcada acentuación de verde y con plantas de hojas gruesas.

Podemos colocar variedades de **cactus** que no tengan espinas, que son positivos porque al almacenar agua en su interior alimenta al elemento madera. El **jade** es una de estas plantas con un buen Feng Shui, muy utilizada para armonizar esta zona.

El noreste

Esta dirección está asociada al elemento tierra, nuevamente energía que se centra y estabiliza, en la escuela intuitiva esta área esta representada por la sabiduría y el conocimiento.

Para las plantas apropiadas para este punto cardinal, volvemos a las floraciones amarillas, naranjas y rojizas. Aquí se recomienda tener un camino donde se muestren esculturas huecas, jarrones de cerámica, la conformación de las plantas en formas concéntricas. Además se pueden diseñar pequeños jardines en grandes macetas.

Flores, árboles y plantas con buen Feng Shui

En nuestro día a día las flores tienen un gran significado e influencia energética a través de su aroma, color y forma. Son muy utilizadas en los hogares como decoración, por su capacidad para atraer la armonía de la naturaleza dentro de un entorno artificial como es nuestra vivienda, para generar mayor bienestar, alegría y hasta transmitirnos una energía saludable, lo que nos es totalmente beneficioso.

En la naturaleza existen infinidad de plantas, flores, árboles, arbustos, hierbas, etc., que nos aportan buen Feng Shui, a continuación hago algunas referencias.

Entre las flores podemos nombrar:

> Las **flores del viruelo**, que son muy favorables para mujeres jóvenes y solteras, simbolizan la pureza, belleza y buena suerte para el matrimonio. Esta planta la veremos mucho en los cuadros chinos, ellos le dan mucho valor a su energía, ya sea en un cuadro o con algunas ramitas como decoración. El fruto del ciruelo representa una larga vida ya que el árbol del ciruelo es longevo.

> Las **rosas**: existe una gran variedad de esta flor, que está relacionada con el amor, con la pureza, por eso es la más utilizada entre los enamorados, como expresión de afecto y amor puro. Las espinas tienen una gran connotación, de que una vida de aprendizaje con buenos y malos momentos nos lleva al éxito.

> Las **orquídeas**, preciosa flor, representan la perfección y se las considera como el símbolo del hombre superior. Atraen el bienestar para la familia y una larga descendencia. Muy uti-

lizadas en la decoración de interiores por su simbolismo de amor y belleza.

> La muy conocida **flor de loto** es el símbolo de la pureza y plenitud en la vida, tiene una connotación muy espiritual y sus hojas simbolizan las enseñanzas del Buda. Es otra flor que veremos muy representada en las distintas expresiones chinas.

Las recomendaciones para tener flores dentro de casa, se basan en que sean preferentemente naturales y que estén frescas, nunca marchitas. Un buen florero acumula mucha energía positiva y cuando se colocan flores de acuerdo con la estación del año más aún, así es que un ramo de flores genera una atmósfera equilibrada dentro de nuestra casa durante el año.

Se recomienda utilizar peonias en el verano; crisantemos en el otoño; orquídeas en el invierno y las flores del ciruelo en la primavera.

Las plantas aromáticas también son muy utilizadas, aparte de su aporte de aroma tienen efectos curativos para distintas dolencias, por no decir todas, sabemos que desde hace miles de años son utilizadas como tal, que lastimosamente con el paso del tiempo hemos ido perdiendo la habilidad y el conocimiento sobre su uso.

Por nombrar algunas muy conocidas como la manzanilla, la menta, la albahaca, la melisa, el eneldo, el perejil, la ruda, etc.

Dentro de los árboles, también existen infinidad de especies y categorías que nos aportan buen Feng Shui, sin ir lejos los árboles frutales además de ofrecernos sus frutos, tienen mucha energía positiva y distintos tipos de efectos sobre las personas.

Como comentaba antes, el ciruelo, el limonero también aportan muy buen Chi, o los manzanos.

Dentro de este grupo introduciremos el bambú, gran planta muy utilizada en el Feng Shui, es otra de las que veremos muy representada y utilizada en los hogares chinos, por su gran aporte energético, sus características que representan un ascenso, la rectitud, la abundancia y la sabiduría. Para terminar unas cuantas plantas más que son muy utilizadas por su buena energía son, por ejemplo, el jade, al que ahora se le llama la *planta Feng Shui*, por su gran difusión dentro de esta práctica, la hiedra, los helechos, que tienen aplicaciones especificas dentro del Feng Shui, para equilibrar energías, al igual que los cactus, un poco mal vistos, pero dependiendo de su ubicación, siempre preferible en terrazas y balcones exteriores en la parte trasera de la casa ya que actúan como protección.

También hacen su trabajo en nuestros hogares y no podemos dejar de mencionar nuevamente el bambú, como decoración interior, no solo para exteriores, las ya conocidas ramitas que ahora están por todas partes y nos aportan mucha energía al mismo tiempo que son muy decorativas.

Negocios: un lenguaje un poco diferente

Ejemplo del primer negocio

Conocí a Carles y Rosa en unas reuniones de negocios presentando nuestras respetivas actividades, lo que se llama *networking* profesional, enseguida se interesaron por mi trabajo hasta el punto de querer experimentarlo en su propio local de negocio.

En mi exposición profesional vieron que el Feng Shui podía aportar buena energía, armonía y un valor añadido a su empresa. Siempre han estado abiertos a todo lo que pueda representar una mejora en su ambiente de trabajo.

Vieron muy claro que les beneficiaría tanto a ellos como a los trabajadores y a los clientes de su gestoría.

Podemos aplicar Feng Shui sin la necesidad de querer obtener algo específico. En un entorno laboral como son unas oficinas donde existen muchos aparatos electrónicos, recibimos gente a diario y tenemos que tratar con los problemas de

los clientes, es muy positivo aplicar el Feng Shui, de ese modo todos los implicados en la empresa recibirán sus beneficios.

En un negocio tenemos en cuenta diferentes escuelas, Bazhai, Bazi y escuela budista así como las estrellas voladoras para comprobar que no existe conflicto de elementos al aplicar las soluciones que les damos.

En el DVD puedes ver la visita y conocer el negocio y en este capítulo la explicamos y analizamos.

Aquí tenemos el plano y aplicamos en él los conocimientos de la escuela budista o intuitiva y Bazhai, trazamos pues el Bagua en el plano.

del área al tratarse de un baño, sin embargo es positivo el hecho de que el aseo no esté dentro del espacio general físico del local. También tenemos otro pequeño refuerzo que corresponde al área de saber.

Se tomaron las direcciones y comprobamos que entramos por el norte y la puerta de entrada está situada en el área de carrera profesional, tanto si el análisis de realiza por direcciones como por puerta de entrada, coincidiendo pues su colocación con la escuela de la brújula y la budista o intuitiva.

Se hicieron las comprobaciones según las escuelas Bazhai y Bazi.

Tomamos el frente y los grados para sacar una carta geomántica y comprobar que no entramos

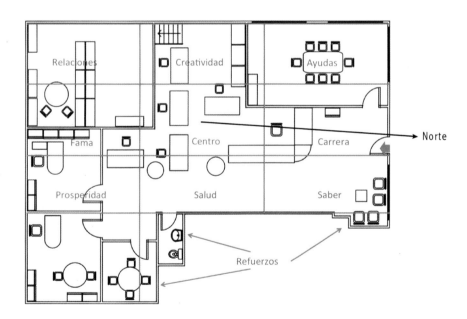

Observamos un refuerzo en el área de prosperidad que se corresponde con un despacho ocupado por un profesional independiente que colabora con la gestoría y por lo tanto proporciona un «refuerzo» extra al negocio.

Respecto al refuerzo correspondiente al aseo en salud, podemos no notar una mejora especifica

en conflicto de elementos cuando vamos a aplicar los círculos para potenciar las áreas del Bagua.

Se aconsejó pintar de nuevo las paredes de la oficina y se potenciaron las áreas con los siguientes colores:

› En verde la salita de espera en la zona de saber y cultura.

> En ocre intenso (simulando dorado) los despachos de prosperidad, tanto la propia área como el refuerzo.
> En la zona de la cocina, las áreas de fama y relaciones se pintaron en granate intenso.

Aunque no habían pensado en pintar, realizaron todos los cambios de los colores sugeridos y también los que describimos a continuación. Ya que habían contratado la consulta no querían quedarse «a medias».
Se potenciaron algunas áreas con esferas de cristal tallado.
Se incrementó la importancia de la sala de reuniones situada en el área de ayudas.
Cambiamos e incluimos algunos cuadros o imágenes para potenciar adecuadamente las áreas.
El resultado fue una mayor armonía y bienestar, que experimentaron en su trabajo de día a día y cuando les preguntamos...

¿Aconsejaríais aplicar el Feng Shui en los negocios?
Su respuesta es la siguiente:
«Consideramos el Feng Shui una muy buena idea para mejorar el espacio de trabajo, buscando el mejor emplazamiento de las cosas y las armonías entre los que trabajan allí.
»Para nosotros ha sido un paso adelante para potenciar nuestro negocio en el sentido de crear un espacio de trabajo más agradable en lo referente a colores y canalizando las energías electrónicas, pues tenemos muchas en el despacho.
»Si el espacio es más agradable y se trabaja mejor esto repercute en más y mejores clientes. No es una fórmula matemática pero seguro que funciona.»

Carles Mariné
www.marineassessors.com

Ejemplo del segundo negocio
Una agencia matrimonial con ausencia en relaciones.

Samsara lleva más de 16 años facilitando que sus clientes encuentren pareja y si bien su actividad es conocida como agencia matrimonial, se ha posicionado como agencia de pareja estable.

La agencia acababa de cambiar su despacho a una planta entresuelo muy céntrica en la ciudad de Barcelona, por esa razón me llamaron.

Es evidente que las personas que acuden a Samsara no tienen pareja. Por ello no me sorprendió en absoluto que tuviéramos una carencia en esa área, sin embargo para poder completarla en los clientes era necesario completarla también en el espacio físico del negocio.

También teníamos un importante refuerzo en ayudas, amigos útiles y viajes que íbamos a aprovechar para potenciar el negocio.

Esa sala se utilizó para realizar eventos como conferencias, talleres y tertulias que complementaron la actividad de la agencia y representaron una importante ayuda en su difusión; el propio espacio llamaba a ese fin.

Utilizamos el arte como un remedio Feng Shui importante, se equilibró con esferas de cristal tallado, completamos por supuesto la ausencia de relaciones y armonizamos con detalles como lámparas de sal o plantas de gran tamaño.

Utilizamos Bazhai y Bazi para mejores direcciones y el equilibrio de los elementos y comprobamos la carta geomántica según las estrellas voladoras.

El resultado nos lo cuenta la propia M. Carme Banus, propietaria de la agencia, en el DVD donde vemos los detalles explicados.

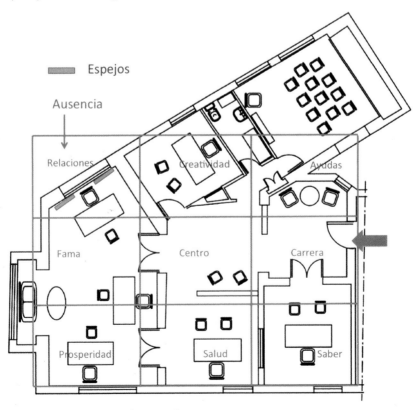

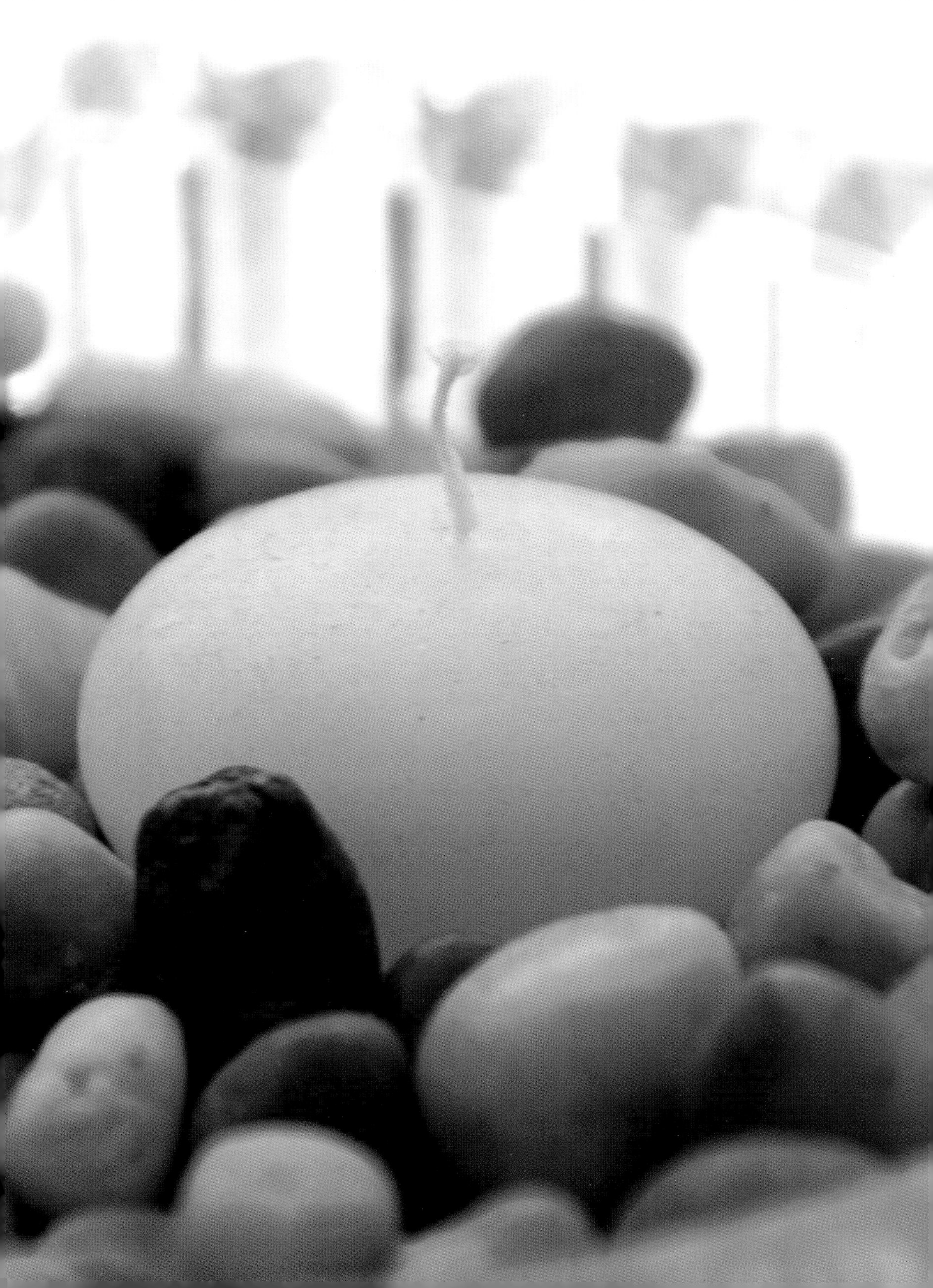

SABER ELEGIR

Conectar con tu intuición. Visualizaciones para tu hogar

Ya hemos llegado hasta aquí y espero que hayas conocido mejor la técnica milenaria del Feng Shui, mi intención es que ahora sepas que nadie tiene la verdad absoluta pero que todo conocimiento debe ser bien recibido.

Si quieres acertar en la elección de la técnica, del consultor o del próximo libro de Feng Shui que vas a comprar o del próximo paso a dar en tu vida, en este capítulo he querido incluirte las técnicas de meditación y visualización que me sirven a mí para conectar con mi ser interior y tomar las decisiones desde la respuesta interna en lugar de una reacción externa a unas circunstancias.

Tu sabiduría interior te habla, solo tienes que acallar la mente para poderla escuchar.

Respiración conectada consciente

Si necesitas una técnica que te acerque a la meditación, a la renovación energética interna y a la conexión con tu parte más espiritual, incorpora unos minutos cada día en tu vida de respiración conectada consciente.

Es una respiración tranquila que se distingue por no dejar espacio entre inspiración y expiración del aire, se realiza la respiración sin pausas y de ese modo nos obliga a estar atentos por completo a ella mientras respiramos. Eso supone que unos minutos aportan paz interior a nuestra vida.

Cada una de las experiencias y relaciones con los demás que vienen a nuestra vida es para ayudarnos a crecer, para que despertemos al

amor y nuestra espiritualidad se transmita al mundo. El Feng Shui también te ayuda pero, como todas las herramientas, su uso dependerá de tu estado interior, acércate al Feng Shui del amor y si en alguna ocasión sientes miedo o duda, antes de aplicar cualquier técnica primero párate y realiza unos minutos de respiración conectada.

Antes de decidir, antes de elegir, siempre detente unos minutos para que sea tu ser interior quien elija a través de ti.

Visualizaciones

Cuando realizamos una visualización es importante estar serenos y centrados, por eso antes de visualizar realizaremos unos 10 minutos de respiración conectada, después, al volver a nuestro ritmo normal de respiración, empezaremos la visualización.

Quiero incluir en este punto del libro dos visualizaciones que te ayudarán para tomar decisiones y prepararte para ver lo que necesitas cambiar en tu hogar. Puedes leerlas y hacerlas imaginando lo leído o grabarlas con tu propia voz y luego ponerte el audio, es una potente herramienta oírte a ti mismo guiarte hacia el conocimiento.

Despierta a tu hogar (visualización 1)

Siéntate cómodamente con la espalda recta y relajada y las manos descansando sobre tus rodillas.

«Toma una respiración profunda y al soltar el aire relaja todo tu cuerpo... Toma otra respiración profunda y relaja tu mente... Sigue respirando conectando la inspiración y la espiración durante unos minutos sin pausas y lentamente... Concentra tu atención en tus manos, tus pies, tus rodillas, estómago, el pecho... Deja que la atención suba hacia tu cuello, tu cabeza... Relaja tu mente y deja que los pensamientos pasen por ella sin quedarte con ninguno.

»Toma una respiración profunda y siente como un canal de energía que surge del cielo entra por tu coronilla, baja por tu cuello, pasa por tu corazón y se conecta con el centro de tu cuerpo.

»Concentra tu atención en el centro de tu cuerpo, siente cómo se ha creado una esfera de energía del cielo que está situada en tu vientre justo encima de tu ombligo... Esta energía se expande lentamente por todo tu cuerpo llenando de luz y energía todo tu cuerpo físico...

»Siente cómo la energía sale ahora por tus manos y se expande por toda la habitación donde te encuentras, llenando de luz cada rincón...

»Siente cómo la energía del cielo que se fundió con tu cuerpo se funde ahora con la de tu hogar convirtiéndose todo en una misma luz...

»Ahora la energía sale de esta habitación y va llenando lentamente cada rincón de toda tu casa.

»Observa dónde se detiene para recargar en mayor modo algún rincón de tu casa, observa qué te indica... qué te dice... dónde se detuvo...

»Recorre mentalmente cada rincón de tu casa, cada rincón de una habitación en concreto, los objetos... recuerda... visualiza... observa en cuales se detiene tu pensamiento ahora... pregunta por qué se detuvo allí... escucha qué te responde tu ser interior...

»Pregunta ahora qué necesitas ver para corregir algo en tu casa, deja que tu intuición te guie hacia lo que necesitas descubrir, qué escuela aplicar... qué habitación cambiar...

»Observa cómo la energía vuelve ahora dentro de tu ser, concentrándose en ese punto por encima de tu ombligo, sigue respirando y conserva la fuerza y el poder de la energía del cielo en tu interior.

»Ahora, toma una respiración profunda y poco a poco toma conciencia del lugar donde estás... toma conciencia de tu cuerpo... Siente el asiento donde te encuentras... Toma otra respiración profunda y hazte consciente de tus manos... tus pies...

»Mueve un poco tus manos... tus pies ... Mueve tu cuerpo... despacio... abre los ojos...»

Los dos caminos (visualización 2)

Para esta visualización puedes tener una pregunta que desees responder o una decisión que tomar, durante la visualización deberás hacer esa pregunta.

«Toma una respiración profunda y al soltar el aire relaja tu cuerpo. Toma otra respiración profunda y suelta las tensiones de tu mente.

»Respira durante unos minutos de forma conectada, inspirando y expirando el aire dentro de tu cuerpo sin dejar ninguna pausa entre la inhalación y soltar el aire...

»Ahora imagina delante de ti una carretera que termina dividiéndose en dos caminos diferentes, cada uno de ellos te lleva al infinito y desde aquí no puedes ver hacia donde va cada uno de ellos. Haz ahora la pregunta que deseas responder...

»Lentamente elije uno de los dos caminos, cualquiera de ellos... Despacio empieza a andar por ese camino..., y delante de ti van pasando las imágenes que son la consecuencia de una decisión afirmativa a la pregunta que le has hecho a tu ser interior...

»Observa cómo reaccionas, qué sucede a tu alrededor como consecuencia de esta decisión..., las personas que hay a tu lado..., cómo cambia tu entorno..., qué pasa con tu vida...

»Despacio las imágenes van difuminándose y te encuentras de nuevo en el cruce de los dos caminos... Ahora eliges el otro camino que significa una respuesta negativa a la pregunta que hiciste...

»Mira ahora qué sucede a tu alrededor conforme vas caminando por ese sendero..., qué pasa en tu interior, ¿cómo te sientes?, ¿cómo reaccionan las personas que hay a tu alrededor como consecuencia de esta decisión?, ¿qué pasa con tu vida ahora...?, ¿cómo ha cambiado?

»Detente unos minutos ahí..., lentamente vuelven a difuminarse las imágenes y te encuentras en el cruce de los dos caminos de nuevo, pero ahora ya sabes cuál será la decisión que vas a tomar, por eso el cruce desaparece y ya solo ves un camino delante de ti..., ya sabes con certeza cuál es la respuesta a la pregunta inicial...

»Ahora es el momento de volver..., toma una respiración profunda y lentamente hazte consciente del lugar donde estás..., de la habitación... de tu cuerpo... toma otra respiración profunda y lentamente mueve un poco tus manos..., tus pies..., abre los ojos...»

Utiliza siempre que lo necesites estas visualizaciones y practica regularmente la respiración conectada, tu intuición y la paz interna surgirán en ti y te ayudarán.

La energía es poderosa; tú tienes esa energía, tu hogar también la tiene, equilibra el Chi de tu ser con el de tu hogar y podrás crear milagros...

El Feng Shui cambia vidas y te ayuda en tu crecimiento y desarrollo, es necesario también un trabajo interno por tu parte para cambiar tu vida, la respiración y la meditación te ayudan a integrar los cambios de tu exterior.

El Feng Shui de la unión

Quiero terminar refiriéndome al poder de la unión y la colaboración en los cambios importantes. Si hablamos de cambiar la energía de nuestro planeta es evidente que solos no vamos a poder lograrlo, pero aquello que parece imposible para uno puede conseguirse más fácilmente cuando trabajamos en equipo.

Unir, crecer, evolucionar, ser... son sinónimos de lo que desea nuestro ser interno.

Este es el Feng Shui que deseo difundir, el de la unión y la colaboración entre diferentes técnicas y escuelas, la fusión de distintos profesionales que desean una misma finalidad: armonizar nuestro entorno para mejorar nuestro mundo.

Así nació la **Asociación de Profesionales del Feng Shui de Habla Hispana.**

Si este libro te ha despertado y deseas conocer más sobre el Feng Shui, si quieres convertirlo en tu profesión o en una poderosa herramienta de autoconocimiento, puedes aprenderlo de forma más amplia con nosotros, en la Asociación de Profesionales del Feng Shui de Habla Hispana, te esperamos, Ana Claudia, Jordi, yo y muchos otros profesionales para compartir contigo y mostrarte el camino que ya hemos recorrido.

Desde que creamos la asociación se han unido a nosotros profesionales del arte del Feng Shui de diferentes técnicas, unos se han formado con nosotros, otros ya llevaban años trabajando y nos han enriquecido con sus conocimientos, pues la asociación está abierta a todos los que deseen difundir, unir y compartir sus conocimientos... Y sé que esto es tan solo el principio ya que hay mucho trabajo por hacer.

Seguramente cuando este libro llegue a tus manos podrás encontrar en tu ciudad o provincia un profesional de la asociación que te ayudará a armonizar tu hogar si lo necesitas.

El mundo necesita de la armonía que podemos conseguir con la ayuda del Feng Shui, ¿quieres unirte a nuestro equipo para conseguirlo?

También estarás con nosotros si contribuyes creando armonía en ti mismo y en tu hogar, no es necesario que sea tu profesión, puede ser un complemento a tu vida que haga que te sientas más pleno, completo y en armonía.

Síguenos y suscríbete al boletín mensual donde publicamos artículos y vídeos que contribuyen a crear bienestar e incluye en tu día a día este maravilloso arte, en la lengua (la escuela) que prefieras, inclúyelo y conseguirás cambiar tu mundo.

Este es mi deseo.

Feng Shui Rosa

Riubo

Rosa Riubo
*Presidenta de la Asociación de Profesionales
del Feng Shui de Habla Hispana*

www.riubo.com
www.fengshuihablahispana.com

Agradecimientos

Ana Claudia Camponovo
Arquitecta, consultora profesional de Feng Shui desde 2001. Formación en escuela budista o intuitiva del Maestro Lin Yun. Escuela Tradicional (Maestro Rodolfo Silva). Escuela de la Brújula, Ba Zhai y Ba Zi. Estrellas Voladoras. Formación en radiestesia y Geopatías (Escuela Hispanoamericana de Feng Shui).
Ha trabajado en colaboración con arquitectos y decoradores para la aplicación del Feng Shui, en varias ciudades de América y en España. Realiza estudios de Feng Shui y talleres de formación. Es miembro de la junta directiva de la Asociación de Profesionales del Feng Shui de Habla Hispana.

www.tuespaciotufengshui.com

Jordi Gubau Lasheras
Constructor, consultor de Feng Shui.
Vicepresidente de la Asociación de Profesionales del Feng Shui de Habla Hispana.

Esther Ferrer Mora
Consultora de Feng Shui.

Carles Mariné y Rosa Tarragó
Marine Assessors
www.marineassessors.com

M. del Carme Banús
SAMSARA
www.samsara.es

Mi profundo agradecimiento también a mis clientes que han cedido sus hogares para ilustrar este libro y el DVD.

© de la edición en castellano, 2012:
Editorial Hispano Europea, S. A.
Primer de Maig, 21 - Pol. Ind. Gran Via Sud
08908 L'Hospitalet - Barcelona, España
E-mail: hispanoeuropea@hispanoeuropea.com
Web: www.hispanoeuropea.com

Depósito Legal: B. 1143-2012

ISBN: 978-84-255-2006-8

Consulte nuestra web:
www.hispanoeuropea.com

Impreso en España
Limpergraf, S. L.
Mogoda, 29-31 (Pol. Ind. Can Salvatella)
08210 Barberà del Vallès